KU-390-071

Direction éditoriale : Ghislaine Bavoillot
Direction artistique et conception graphique : Karen Bowen
Direction artistique Flammarion : Antoine du Payrat
Responsable de l'édition : Nathalie Démoulin
Lecture : Jacqueline Menanteau
Fabrication : Élodie Conjat
Photogravure : Penez Édition, Lille

Numéro d'édition : FT0744
ISBN : 2082007448
Dépôt légal : mai 2003

Imprimé en Italie par Canale

SOMMAIRE

LUMIÈRES ATLANTIQUES

Le Bassin, une mer intérieure souvent calme. Que ce soit au Cap-Ferret (page d'ouverture), ou vers le fond du Bassin, (page de titre), le même temps suspendu imprègne les paysages de silence. Les débarcadères de la côte noroît (page de droite) sont le rendez-vous des pêcheurs. À la boutique L'Esprit du Cap (double page précédente), souvenirs marins et mode océane.

Avant de connaître le Bassin, j'ai aimé le Cap-Ferret. C'était au cœur des années quatre-vingt. Un couple d'amis m'avait invitée dans sa villa perdue sous les mimosas. Une petite maison sans confort, mais une harmonie immédiatement attachante. Je suis arrivée une fin d'après-midi en été. Le sable était encore tiède, je quittai mes sandales. Après je ne sais plus trop, le ciel était déjà tendu de nuit, chargé d'un bonheur qui m'étourdissait. On avait improvisé ma chambre dans la véranda. Quelle chance ! Je me surpris dans la nuit à regarder le mur tapissé par l'ombre des pins et les branches, dehors, lustrées par la lune. Le lendemain, je fus réveillée avec les lumières mauves de l'aube. L'air était parfaitement transparent, le silence absolu. Je ressentis cet apaisement rare d'être au bon instant au bon endroit.

J'ai marché le long de l'Océan, sur le Mimbeau, au milieu des oyats et des chardons, en forêt jusqu'à ce que la rumeur du village ne l'atteigne plus. J'ai senti le soleil brûler le sable du banc d'Arguin et j'ai oublié la notion du temps en traversant le Bassin au rythme d'une pinasse. On m'a amenée à l'île aux Oiseaux, alors que la nuit glissait vers l'aube. Ciel et mer se confondaient. L'horizon était juste un trait de fusain léger et le bruit du moteur le seul élément humain de ce monde perdu. La silhouette fantomatique des piquets apparaissait comme le dernier témoin d'une forêt engloutie. Des cormorans s'y étaient installés, pétrifiés dans la monochromie abstraite. Voilà des images que l'on n'oublie pas.

Très vite, j'ai découvert le fond du Bassin, ses ports, ses cabanes noircies, ses chenaux, sa terre liquide et ses champs marins ; les couchers du jour sur le delta de la Leyre, quand la nature entière se prépare au sommeil ; les joncs déjà immobiles.

Avec les mimosas, les figuiers et les arbousiers grappés de fruits rouges, j'ai eu les flashs de mon enfance dans l'arrière-pays niçois et le souvenir de ma mère. J'allais à L'Herbe, au Canon, à l'escourre du Jonc, à la pointe aux Chevaux… ce paradis me comblait. Comme Cocteau et Radiguet lorsqu'ils passaient l'été au Piquey, j'étais éblouie. Moi, Méditerranéenne, chercher ici à planter mes racines, un comble ! Depuis, tout est prétexte à revenir même avec un ciel en rage, ou avec la mine défaite des jours de pluie interminables. Jamais je ne m'en lasse. Et la lumière ? Toujours changeante, toujours multiple, chaque fois magique. La plus merveilleuse étant, pour moi, celle de septembre.

TERRES OCÉANES

1 TERRES OCÉANES

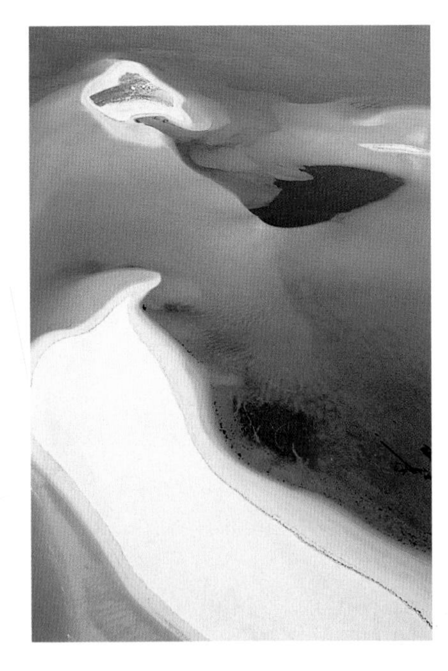

L'immensité originelle du banc d'Arguin (double page précédente), où les dauphins ont leurs habitudes.

La rade, face à la dune du Pilat, est le rendez-vous estival des bateaux. Les huîtres sont affinées dans les parcs ostréicoles situés sur une autre partie du banc.

Quatre-vingts kilomètres de tour de ceinture, seize mille hectares d'Océan à marée haute et quatre fois moins à marée basse... le Bassin est une mer intérieure sillonnée de courants. Il se remplit et se vide de trois cent soixante-dix millions de mètres cubes d'eau. Voilà pour les chiffres. Mais on peut se demander à quelle époque est apparue la beauté de ses paysages. La mémoire remonte la préhistoire, tourne les pages de l'*Odyssée*, va chercher les ressemblances dans la mythologie, tant la mer par endroits paraît ancienne, la forêt primitive, le sable désertique, la nature lacustre constellée d'oiseaux et de poissons. On sait qu'on est quelque part à un point cardinal idéal, dont le mélange d'aridité et de luxuriance, de sécheresse et d'humidité n'évoque aucun lieu familier.

Ce sentiment s'impose au pied de la dune du Pilat. « J'emmagasine pour amener le souvenir là-haut », avait répondu le vieux pêcheur à qui on demandait pourquoi chaque jour il mouillait sa pinasse devant la plus importante dune d'Europe. Vue de la mer, elle est une muraille de sable haute de cent quatorze mètres environ, large de cinq cents mètres et longue de trois kilomètres, œuvre naturelle d'Éole et de Neptune qui n'en finissent pas de la sculpter. La gravir, c'est entamer un face-à-face saisissant avec les éléments. Il se transforme en béatitude lorsqu'on atteint le sommet. À l'est, elle domine l'immense forêt de La Teste dont elle ensable les premiers pins jusqu'à la cime. On dit qu'elle l'engloutit de plusieurs mètres chaque année. Sur l'autre versant, elle surplombe les passes écumeuses et le « vide océan » qui la ronge peu à peu. Ici le temps perd ses limites au point d'avoir fait dire à François Mauriac : « C'était avant la vie, et l'esprit de Dieu flottait sur les eaux. » Quelle que soit l'heure, mais surtout aux heures creuses, on est grisé par son éternité. L'aurore la pare de mauve diaphane ; à l'aplomb de midi, le soleil chauffe à blanc sa crête saharienne qui se découpe sur un azur ininterrompu. Au couchant, des lueurs orangées se faufilent dans ses ombres. Les parapentes en profitent pour jouer les grands oiseaux planeurs sous la lumière soyeuse jusqu'à ce que le crépuscule fasse apparaître l'étoile du Berger.

Par gros temps, l'Océan fouette le littoral sans relâche même si en face la frêle presqu'île du Cap-Ferret protège des colères du golfe de Gascogne. Cela n'a jamais été le calme sur le Bassin malgré son indolence lacustre.

Les courants, en se déplaçant, transforment sa physionomie. On calcule par centaines de mètres le rivage grignoté en un siècle. Les tempêtes arrachent des pans de sable, faisant des brèches sur la bande côtière que l'on s'acharne à colmater. Les vents déplacent les dunes instables. De secrètes métamorphoses s'opèrent dans les passes. La mémoire locale n'a pas oublié que le village de Lège a plusieurs fois reculé devant l'avancée des sables. Le sanctuaire de Notre-Dame d'Arcachon a été englouti par les eaux et l'hôtel de la Pointe à Cap-Ferret, construit devant la plage en 1880, a connu la même destinée au bout de quarante ans. Voilà de quoi attirer l'attention permanente des géologues et des scientifiques qui planchent sur cet équilibre fragile. L'équipage du baliseur *André Blondel* en sait quelque chose. Il a pour mission de surveiller la migration des fonds avec lampes et radars, de mettre à jour la carte des eaux, de changer l'emplacement des balises. Un travail de Titan pour tracer au plus juste la route de mer. L'avenir du Bassin ? Posez la question aux gens d'ici qui ne sauraient vivre sans lui. Les passions s'enflamment, les controverses aussi, lorsqu'on prononce le mot « érosion », phénomène naturel des flots insidieux.

Ici, la notion de saison n'a pas le même sens qu'ailleurs. Il faudrait plutôt parler de la saison du mimosa en février, dont le parfum méditerranéen envahit la forêt jusqu'aux portails des jardins, suivie de la floraison des pins, le pollen dilué en flaques jaunes après la pluie comme une peinture lavée qui a déteint ; en août, celle des baccharis en fleur, arrivés un peu par hasard d'Amérique, très vite acclimatés au point d'envahir les sols humides. Parlons encore de la saison des casserons, jeunes poulpes tendres, à la fin de l'été et de celle des palombes pendant l'automne. « Vivement septembre, disait un jeune Ferret-Capien, j'irai pêcher le vendangeur. » Il faut entendre par ce terme le petit rouget qui sonne le temps des vendanges et dont la chair fine régale tout le monde. Cette courte période de pêche s'accompagne en général d'un « été indien » sans défaillance. Novembre passe le pouvoir à l'hiver ;

Depuis la pointe du Cap-Ferret, là où les eaux de l'Océan s'engouffrent avec une force impressionnante pour s'apaiser au fond du Bassin, et où les vents et les marées organisent avec le sable des révolutions changeantes, la dune du Pilat s'offre en face comme un paysage de Genèse. Elle est née de l'accumulation des sables au cours des siècles qui accompagne le lent déplacement des passes vers le Sud.

Comment ne pas croire au mythe d'Icare dans ce paysage saharien où l'homme a pour seuls repères l'eau, le sable, le ciel ? Les parapentes dévalent la dune en une figure chorégraphique souple et grisante avant de planer dans des lumières changeantes, parfois électriques. Il y a dans ce mouvement une liberté et une amplitude qui mettent un temps « infini » et beaucoup d'harmonie dans l'espace.

il annonce fin brouillard bleuté au-dessus de l'eau, vent frais, bourrasques grises chassées par un azur de soie. Janvier, des filaments bleus s'échappent d'un ciel agité, gris nacré, pour finalement imposer une lumière pure de Genèse. La végétation ne perd pas ses feuilles. L'eau et le ciel coulent l'un dans l'autre avec des couleurs d'aquarelle. On vous dira dans le pays que ces deux-là ne tiennent pas en place, qu'ils font naître des lumières subtiles continuellement changeantes. Arrive le printemps, l'azur quasiment rose, l'eau perlée de bleu. Puis ce qu'on appelle les beaux jours : c'est l'été.

Ce matin, par mer haute, les embarcations rapides sillonnent les eaux calmes. Elles arrivent de tous les ports en évitant de peu l'embouteillage. Cap sur le banc d'Arguin et son voisin du Toulinguet où se trouvent les dernières limites avant les dangereuses déferlantes de la façade océane. L'ancre est jetée pour le pique-nique. Ignorant la promiscuité, on joue le « bon sauvage » enivré d'iode et de soleil, la peau couverte de sel, les pieds voluptueusement enfoncés dans le sable chaud. Chaque nuit, le flux caressant efface toutes traces humaines comme une virginité offerte au paysage. Septembre restitue le banc à sa solitude. C'est le bon moment pour découvrir le degré zéro de la civilisation.

Apercevoir un dauphin qui ne se laisse jamais beaucoup approcher. Le regard ricoche de vide en plénitude sur les langues de sable entrecoupées par des bandes de mer argentée. Vision abstraite de lignes horizontales comme une illustration du troisième jour de la création quand la terre se sépare des flots. Mais ici, terres et eaux ne se sont pas vraiment séparées. Pas une bicoque sur ces bancs, pas un arbre. À peine l'empreinte de pattes d'oiseaux, sans aucun doute les sternes, bec noir et pointe jaune, arrivées d'Afrique en mars et reparties en septembre. Lorsque le jour chavire à l'ouest, elles tournoient au-dessus de leur réserve naturelle en poussant les cris aigus d'une danse rituelle. Au petit matin, un vol droit de courlis cendrés traverse le ciel à la vitesse d'un missile. Les bernaches ont

déjà fait leur toilette, essuyé les plumes sur le sable et elles attendent le retour du flot pour rejoindre le fond du Bassin.

Les suivre sur leur territoire, c'est pénétrer assez brusquement dans une région de marais sans hommes et sans constructions. On s'enfonce dans une nature originelle qui sert de refuge à tout un peuple ailé. Les oiseaux du Bassin!... Ils sont plus de deux cents espèces à se partager le domaine de Certes, le parc ornithologique du Teich, le delta de la Leyre. Habitent là des locataires à l'année et des migrateurs fidèles: le héron cendré, le cormoran, le martin-pêcheur et la foulque macroule, la mouette rieuse et la colonie de cygnes dont la présence gracieuse tient le devant de la scène sur les eaux marécageuses. Les ornithologues, eux, sont au paradis. Ils observent parmi tant d'autres la spatule blanche qui fait escale pour l'hiver et, dès le printemps, la gorge-bleue à miroir blanc chasser l'insecte dans la terre mouillée. À matines, dans la brume, tout ce monde en liberté claque des ailes, défroisse ses plumes, dégourdit ses palmes, plonge dans l'eau, pêche, barbote et cancane à tout vent. Un vrai chahut! À marée basse, l'aigrette garzette apparaît au-dessus des herbes grises. Elle arpente les plats d'eau, terrain de providence des crevettes, des vers et des alevins dont elle fait son festin. La vie affleure du profond inconnu de la vase. Pendant que le soleil monte en un éblouissement bleu et or au-dessus des roseaux, le vent apporte les odeurs de vasière. Le promeneur s'enfonce dans le paysage mi-terre, mi-eau. On peut ainsi parcourir les digues, passer les écluses; suivre les terre-pleins tapissés de salicornes, longer les touffes de joncs et de tamaris; flâner devant les bassins de Certes, univers des anguilles, des bars et des daurades. L'immense propriété du marquis de Civrac faisait partie des grands domaines qui ont nourri de leur souveraineté l'histoire de la région. Au XVIIIe siècle, soucieux d'embellir sa richesse en même temps que sa réputation, le marquis fit construire des marais salants. Au siècle suivant, la saliculture s'avérant peu rentable, il aménagera des bassins à écluse pour la pisciculture.

La forêt usagère de La Teste, tapissée de bruyère, s'allonge au pied de la dune du Pilat. Au XVe siècle, les gens prélevaient le bois dont ils avaient besoin pour leur usage quotidien. Ce privilège dura plusieurs siècles. À la différence de la pinède moderne plantée par Nicolas Brémontier au XVIIIe pour fixer les dunes, celle-ci est sauvage. Le chêne et la bruyère poussent en forêt. Le cotonnier (à droite, au centre), préfère les sols humides. On trouve les yuccas et autres plantes exotiques sur les sols sablonneux.

AC719776

Coucher de soleil au Cap-Ferret (double page précédente), avec pour horizon la dune du Pilat. Depuis quelque temps, la plaisance renoue avec son passé, les anciennes coques et les voiles d'antan. C'est justement le nom de la dynamique association, à Gujan-Mestras, qui défend le patrimoine maritime, regroupe deux cents adhérents passionnés de bateaux traditionnels. Des régates s'organisent chaque été où évoluent les bateaux typiques du Bassin – bacs à voiles, (page de droite), pinassottes (ci-contre, en haut), et chaloupe.

Six heures par jour dans l'eau, six heures à sec, les cabanes tchanquées (ci-dessus), sont devenues le symbole du Bassin. Ces maisons sur pilotis veillaient autrefois sur les parcs à huîtres. À quelques mètres, l'île aux Oiseaux, plus difficile d'accès et d'aspect sauvage, sorte de lande où suinte l'eau sous les herbes, domaine des chasseurs et des ostréiculteurs.

Ceux-ci étaient alimentés en eau de mer par un système d'écluses mais également en eau douce par les ruisseaux.

Plus à l'est commencent les grands prés du Teich, autre royaume des palmipèdes et des échassiers où il est interdit d'emmener son fusil. Sûrement le meilleur poste d'observation pour découvrir les oiseaux. Certains jours, en hiver, on en compte plus de vingt-cinq mille ! Ils viennent nicher et pondre dans les plans d'eau saumâtre protégés par les écluses. Avec un peu de chance et beaucoup de patience, on verra apparaître en hiver la mésange à moustache, aussi rare que discrète. À peine plus loin, le delta – seize kilomètres de terre qu'encadrent les bras d'eau – est si désert qu'il ouvre sur une sorte d'infinitude. On entre dans un autre univers aux eaux douces : la Leyre. On ne peut la remonter en bateau qu'à l'époque des grands coefficients de marée. En écartant les bras, on a l'impression de toucher chaque rive. Elle se resserre, s'élargit légèrement, lambine et fait des boucles. Cette diversion donne à la promenade un goût de jungle amazonienne. Que va-t-on trouver au-delà ? Des branches arrachées par le vent, des lianes qui dégringolent jusque dans l'eau, des passages assombris par l'épaisse masse des feuillages, des berges embroussaillées. Le silence bruisse de mille sons d'une nature hybride.

On chasse beaucoup entre l'automne et le printemps. À ce moment de l'année, l'île aux Oiseaux sent le marécage et le gibier. Gardée à l'est par les cabanes tchanquées, elle est une destination confidentielle qui, d'emblée, a ses initiés. Tous des purs et durs ne jurant que par cette lande marine où ils ont leur cabane. On y accède uniquement en bateau et à marée haute. Jusqu'au début des années 1900, elle servait de pacage aux bovins transportés par bateaux. Les chevaux y allaient à marée basse depuis l'avancée de terre baptisée pointe aux Chevaux sur la Conche du Grand Coin. L'eau s'infiltre partout dans l'île. Il en suinte de toutes parts. Elle forme des flaques et des baignoires sans profondeur sous la criste-marine, chair vive des marais ; lorsqu'elle se retire, elle fait luire la prairie détrempée

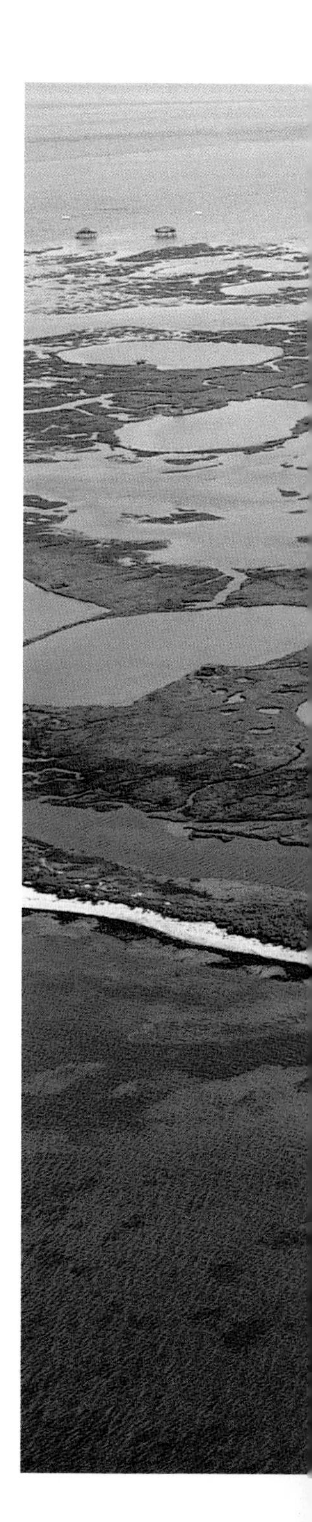

Pour atteindre l'île aux Oiseaux, il faut bien connaître les chenaux. À marée haute, l'île peu boisée fait tout juste quinze hectares de prés-salés ; aux malines, elle s'agrandit de plus des deux tiers, découvrant des prairies marines où le pied s'enfonce dans une vase grise. C'est l'univers des oiseaux : gibier d'eau, pluvier, aigrette garzette, héron… Les cabanes se sont groupées en quatre villages. Devant la sienne, Yvan Darriet a installé une longue table où il accueille amis et chasseurs pour des repas festifs.

couverte de zostères où s'accrochent les jeunes bigorneaux. Yvan Darriet aime, autant que « son » île, la chasse. Peut-être a-t-il toujours chassé même jeune quand il venait en vacances chez sa grand-mère qui n'a jamais quitté la cabane. Rien de l'île ne lui est inconnu, pas le moindre estey, pas le moindre buisson, pas la moindre cachette d'animal. Autant de l'oreille que des yeux, il scrute l'étendue et les cieux, les mouvements des oiseaux et celui des vents. Ses voisins ont construit une tonne, abri flottant dissimulé dans les marais, capables de s'embusquer pendant des heures entières sinon des nuits. Hormis les soucis simples du boire et du manger, du chaud et du froid, toute préoccupation citadine se dissout ici dans l'air salin.

Autrefois, sur le Bassin, seuls les pêcheurs avaient la noblesse de la mer. Et voilà que dans la première moitié du XIXe siècle, les ostréiculteurs s'approprièrent les champs marins pour cultiver leurs huîtres. Le cœur du Bassin devint un lieu colonisé, réglé, ordonné. Les larges découvrants où l'eau se retire deux fois par jour allaient être quadrillés telle une carte d'état-major. Des rangées serrées de grands piquets, appelés les pignots, signaleront les parcs. Avec la mode du nautisme, on en planta d'autres qui donnent la direction des chenaux. Au début, les huîtres posées à même le sable étaient exposées non seulement aux prédateurs mais aux tempêtes qui ensablaient la culture et l'anéantissaient. Les méthodes changèrent. De nos jours, les huîtres sont disposées en pochons sur les lits en fer dont la géométrie civilise le paysage.

« Rien que du sable, une eau transparente, des forêts de pins, des huttes de planches », évoquait Jean Hugo lors de ses vacances sur la côte noroît. Depuis toujours, on est venu chercher sur cette partie du Bassin des sensations d'évasion, des images d'Afrique pour les uns, de Sahara pour les autres. La colonie est aujourd'hui conquise, une partie de la forêt découpée en lots constructibles et la bordure de mer très aménagée. Mais la nature garde encore sa séduction exotique. Genêts, arbousiers grappés de rouge et petits chênes poussent partout à l'ombre des pinèdes. La route goudronnée s'arrête là où commencent les sentiers tapissés d'aiguilles. Sur les dunes de Claouey, les pins ont les gestes nonchalants de filaos, penchés comme des parasols au-dessus du village. Quand la mer

Dans le delta marécageux de la Leyre, les cygnes, ont élu domicile dans les joncs. Selon les lumières, du ciel et de l'eau on ne sait plus lequel fait miroiter l'autre. Pour remonter la rivière sous le tunnel de jungle (page de droite), il faut suivre les grandes marées.

se retire à perte de vue, elle laisse de petits lacs oblongs dans lesquels se miroitent les lumières du ciel, des crabes naufragés en perdition et des tapis de zostères sur le rivage. On se dit qu'elle ne reviendra peut-être plus. Les bateaux échoués sur les bancs devront attendre six heures. Les baigneurs aussi, à moins d'aller sur la côte océane.

Cap-Ferret, bout de la presqu'île et pointe qui s'enfonce sur l'Atlantique au sortir du Bassin. C'est le sud, enfin, son haleine iodée chargée d'algues et de résine. Des plages sans fin, la violence des rouleaux, leur grondement étourdissant. Les dunes dorées et instables, stabilisées par les oyats – longues graminées qui n'aiment que la tiédeur des sables –, se couvrent d'un tapis végétal coloré : la giroflée mauve des plages, le chardon marin bleu ennemi des pieds nus, l'immortelle jaune, le liseron rose. Les derniers faisceaux du soleil viennent s'y coucher dans une palette flamboyante orange et mauve cherchant tout ce qui peut s'allumer et miroiter, jusqu'à la moindre flaque, comme un incendie qui ne consume rien. En arrière-plan, le rideau continu des pins s'assombrit. Il cerne le tour du Bassin et lui sert d'écrin. À ce point élancé et touffu qu'on pourrait passer d'une branche à l'autre sans avoir jamais besoin de mettre pied à terre. Les sentiers vous abandonnent sans crier gare à la lisière d'une clairière ourlée de genêts.

Un résinier, rencontré devant sa maison en forêt, expliquait comment elles ne sont pas toutes les mêmes ; il faut distinguer les forêts primitives et celles qui ont été plantées récemment, la forêt des dunes qui plonge ses racines dans la mer et celle proche des marais. Il ajoutait que son métier s'était arrêté en 1980, mais il n'a jamais voulu déménager. Il montrait ses outils qu'il avait conservés et ses pots de résine. Et il énonçait toutes les transformations possibles de ce produit après avoir raconté comment son métier avait disparu. Et sa voix trahissait la nostalgie. Puis il en vint aux origines de la forêt. Il faut remonter jusqu'au Moyen Âge où la forêt de La Teste était déjà exploitée. Un règlement avait été établi par

Sur la côte atlantique du Cap-Ferret, les pêcheurs de bar préparent leur ligne devant les déferlements de la houle. On accède au rivage par des petits chemins sillonnés de piquets, sur le sable protégé par un caillebotis. Les dunes sont tapissées d'oyats et de petites fleurs. On ne sait trop par quel miracle de la nature le liseron rose et l'euphorbe des rivages fleurissent avec génie au milieu de cette nature désertique. La terrasse de la Brise, devant le Mimbeau, au Cap-Ferret, à droite, où déguster un plateau d'huîtres.

le seigneur de la région dans lequel les ayants pin jouissaient uniquement de l'exploitation gemmifère et les non-ayants pin avaient le droit de couper les arbres pour construire bateaux et habitat. Ce qui créa bien des conflits au cours des siècles. Sous son ombre poussent la bruyère, la fougère, l'aubépine, cent variétés de petites fleurs délicates dont seuls les spécialistes connaissent le nom, des chênes-lièges et des arbousiers géants, du lierre et des ronces.

Devant l'instabilité des dunes, le XVIIIe siècle prit conscience du danger au point d'imaginer des histoires cauchemardesques d'ensablement jusqu'à Bordeaux !… On doit à Nicolas Thomas Brémontier la fixation des dunes par la plantation des forêts. La population ne perdait pas ses droits. Elle continua à utiliser le pin maritime pour construire ses pinasses et ses cabanes, les badigeonner de goudron issu de la résine.

LES VILLAGES À FLEUR D'EAU

2

LES VILLAGES À FLEUR D'EAU

Les cabanes en bois, bricolées avec des matériaux de récupération, ont une toiture de tuiles plates. Ces lieux de travail, la plupart en activité, servent à la fois d'atelier, de réserve, d'abri et de chai à trier les huîtres. On y découvre, abandonnées à la poussière, les bottes d'ostréiculteurs en cuir épais utilisées autrefois sur les parcs. Gujan-Mestras, page précédente, jouit d'une grande activité ostréicole.

Le dos appuyé aux forêts qui les caressent, les villages s'égrainent en lisière du Bassin. Dessinée par les plages, les canaux, les darses, les chenaux, les réservoirs, les méandres et les marais, leur terre semble aussi liquide que la mer sur laquelle ils accordent leur histoire comme une horloge bien réglée. D'où cette croisière à la fois terrestre et marine, du sud au nord, d'est en ouest, de petits ports en hameaux aux noms pittoresques.

Le soir tombe dans la langueur d'une fin d'été. Pas une ride sur l'eau. À peine quelques oiseaux qui nagent dans le ciel, les crinières de cotonniers en fleur et les cabanes closes à cette heure. Une odeur tenace de vase et de sel imprègne l'air. Au large passe un voilier. Les vacanciers ont déserté. Par bonheur, il n'y a jamais eu trop de monde sur ces terre-pleins bordés de canaux, à l'exception des parqueurs, des pêcheurs et des charpentiers de marine. Ni projet de marina futuriste, ni aménagement pour parc aquatique.

Les bateaux accostent devant les constructions de bois. Humbles trésors de bricoleurs dont l'art de la récupération colle à la peau, elles sont alignées les unes à côté des autres en un chapelet mal ordonné. Les plus anciennes ont été rafistolées avec des planches aux teintes flétries. Trois pieds de liserons grimpent les voliges de celle-ci. Dans un enchevêtrement de grillages rongés par le sel et de piquets, le lierre, chez lui, escalade en cordée jusqu'au toit. Ici, la peinture grise du volet se craquelle lentement, fripée comme la peau d'un dinosaure. Là, un coup de peinture et des rideaux neufs ont requinqué l'abri. Paradoxalement, cette fragilité de l'éphémère confère à chacune une capacité de survie quasi illimitée.

Au port de Larros à Gujan-Mestras (qui compte à lui seul six autres ports), le père Guy a hérité la sienne de son grand-père qui l'avait construite en 1893. Avec le temps, il a fallu entretenir la toiture, clouer des voliges neuves, les protéger au coaltar, repeindre la girouette. Mais rien n'a beaucoup bougé à l'intérieur depuis soixante ans. Ni la machine à calibrer les huîtres grippée par la rouille ; ni le poêle sur lequel les huîtres s'entrouvrent à la chaleur, prêtes pour le casse-croûte ; ni l'outillage d'antan conservé dans la poussière avec les lourds patins de bois que l'on chaussait pour marcher dans la vase. L'ostréiculteur à la retraite ne la quitte jamais très longtemps, il y est bien

Pour ce pêcheur à la retraite, pas un jour sans qu'il vienne se réfugier dans sa cabane du port de Larros, véritable caverne remplie de trésors accumulés, liés au travail et à la vie quotidienne. On nettoyait les huîtres à la chaleur diffusée par le poêle à charbon.

trop attaché : il ramende les filets de pêche, répare un tabouret, bricole le vélo sous les images jaunies gagnées dans les foires de villages.

Sur les parcs, il n'y va plus guère ; c'est aujourd'hui au fils de lui succéder avec le même savoir artisanal mais une technique moderne qui ne concerne plus l'ancienne génération. Les chalands au moteur puissant atteignent rapidement les parcs et, si le travail y est toujours aussi rude, les pochons en grillage de plastique noir attachés sur les lits de fer semblent désormais le seul moyen de protéger les huîtres des prédateurs. Là-bas, les hommes ont le dos penché sur leurs « champs marins ». Les gestes raidis dans le ciré et les grosses cuissardes, arqués au-dessus des ambulances, ils pataugent des heures dans l'eau pour soigner leur élevage. À terre, ils trient les huîtres debout dans le chai vitré, à hauteur du regard. La porte est ouverte. À passer près, on pénètre dans l'intimité de leur travail : un univers rempli de cordages, de paniers en plastique fluo, de caisses, de pelles et de râteaux, d'images punaisées sur les murs, de filets, de rames et de brouettes cabossées. Le terre-plein du port leur sert d'atelier en plein air. Là, ils chaulent les tuiles qui serviront à accrocher le naissain, détroquent, c'est-à-dire détachent les petites huîtres qui se sont formées en quelques mois sur la tuile, multiplient les opérations dans le calendrier de l'élevage. La mécanisation transforme peu à peu l'environnement de l'atelier : il y a la grue, la laveuse, la trieuse et la détroqueuse qui économisent le temps sans vraiment adoucir l'endurance des tâches. Dès que le soleil pointe son museau, moyennant autorisation, les parqueurs improvisent une guinguette sur le devant de porte. Quelques tables et sièges en plastique, trois parasols suffisent à créer une ambiance bon enfant devant une assiette d'huîtres arrosée d'un entre-deux-mers. « Ici, on parle le Bassin », dit gentiment le garçon de la 169 qui nous sert douze creuses délicieusement iodées. Il vient d'embrasser la profession « pour continuer le métier de mon grand-père et parce que je veux conserver la cabane

Au port du Canal, une cabane « à la retraite », qui a conservé son matériel de pêche, sert de local à un groupe d'anciens ostréiculteurs, supporters assidus de l'équipe locale de rugby. L'après-midi s'égrène de parties de cartes en souvenirs.

de famille », affirme-t-il avec une mordante passion. La sienne, comme toutes ses voisines, est une concession numérotée sur le terrain du Domaine public maritime, allouée moyennant redevance à des fins professionnelles pour une durée déterminée. Quand le jour baisse, tout le monde boucle et rentre chez soi. L'obscurité absorbe le chenal tout entier, transforme le contour des pinasses en jonques et elle enveloppe les constructions en une étrangeté inconnue au grand jour. Le silence est total. À peine interrompu par le feulement rauque d'un chat sauvage.

À quelque trois cents mètres de là, des Gujanais jouent aux cartes dans la salle du *Bar de la Marine*. Une institution pour les gens d'ici et une « rareté » parmi les lieux authentiques en voie de disparition dont le décor avait donné libre cours dans les années soixante à une ambiance rustique kitsch. « Je l'ai toujours connu, raconte un client octogénaire. C'était un magasin de cordages et accessoires de marine dont le patron offrait à boire devant le grand vivier. » Le verre de vin s'avérant au fil des ans plus lucratif que l'accastillage, le commerce fut transformé en bar et restaurant. Tous les matins, le boulanger qui fait la tournée apporte les baguettes de pain, c'est l'occasion d'échanger un mot jovial avec le patron. Le club de pétanque s'y réunit l'après-midi. Les hommes pratiquent très sérieusement ce jeu depuis qu'un gars de Marseille, ayant épousé une fille du pays, leur apprit la règle. Quand il fait trop froid – ou trop chaud –, ils se réunissent dans une cabane du port du Canal sous la photographie de l'équipe locale de rugby.

De port en port, mêmes bicoques à la mine goudronnée qui leur donnerait une pointe d'austérité si la vie alentour n'apportait à leur modeste allure un charme exotique. Marquées par les mêmes habitudes, la même culture marine, l'identique solitude, l'illusion d'abandon. Même dépaysement à découvrir dans les méandres de ces sites mineurs : les abris sur le delta de la Leyre, le port du Canal, quatre cabanes les pieds dans l'eau séparées de la civilisation par la voie ferrée. On croit

Rendez-vous au port du Canal avec Alain Bonnieu, dernier pêcheur de crabes. Il part aux aurores sur sa pinasse amarrée devant la cabane. Il connaît par cœur son chemin, relève les casiers de la veille. Ils grouillent de petits crabes verts. Les appâts sont remplacés dans les casiers

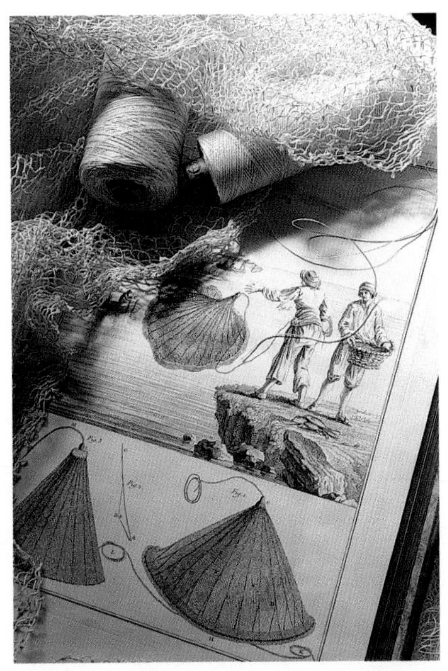

qui replongent à l'eau. La pêche ramène plus de trois cents kilos de bestioles. Le précieux Traité de pêche *de 1759, en haut, à droite, conservé par Pierre Mondiet, fabricant de filets.*

qu'on ne va rien rencontrer au premier abord mais là… l'œil attrape ces images si vraies qu'on n'est pas sûrs d'en découvrir beaucoup d'autres pareilles.

Des ports, il en meurt aussi dans les anses vaseuses. L'Aiguillon résiste envers et contre tout à l'écran d'immeubles flambant neuf dans un équilibre précaire remis chaque jour en question. Paradoxe de deux mondes, celui du déterminisme urbain triomphant et celui de la culture artisanale et populaire, encore bien ancrée dans le petit port du Four qui vit se fermer dans les années cinquante la dernière conserverie de sardines. La treille de vigne, le figuier devant la cabane et le semblant de plate-bande où le persil tutoie la pensée et la tomate colonise la marguerite appartiennent à la mythologie des maisons. Les familiers ne comprendraient pas que leur univers disparaisse. Et si cela était, ils auraient le sentiment de perdre l'essentiel. Dans une autre enclave du Bassin, on ne le remarque de nulle part, il ne donne même pas son nom, le lieu-dit *Lapin Blanc* – quelques bateaux, une poignée de cabanes – a pris l'air d'une friche marine, mais arrive à se perpétuer on ne sait trop comment. Comme si le cours des choses s'immobilisait sans jamais disparaître.

Situé sur un bras de la Leyre, Biganos est l'exemple d'un patrimoine resté intact, face aux développements en tout genre qui ailleurs poussent à grande vitesse. La basse-cour picore dans l'herbe près d'un tas de bois coupé, des arbres font ombre, une libellule grésille dans l'air et passe trop près d'un chien réveillé en sursaut de sa sieste. On sent déjà un air de campagne mais le chenal où sont amarrés les barques et les petits bateaux de plaisance nous remet dans la réalité de l'eau. Dans le seul port du Bassin en eau profonde, la vie est celle des rivières, on y pêche l'anguille et les poissons d'eau douce. Pour les huîtres, il faut aller plus près du Bassin où Biganos possède un port ostréicole typique, celui des Tuiles.

La marée rythme l'activité du Bassin, l'heure de la baignade et du cabotage. Quand elle est là, on peut

Inscrits à l'inventaire des sites pittoresques depuis 1981, les ports ostréicoles sont gérés par le Domaine public maritime qui fait grande attention à ne pas les voir se transformer en cabines de plage. Gujan-Mestras et La Teste ont la mine noire passée au coaltar. Biganos (à droite) reflète ses couleurs tendres et fanées sur les eaux du canal. Les cabanes d'Audenge (en bas) utilisent les couvre-joints comme effet de rayures. On lave, on détroque, on calibre les huîtres (page de gauche). Forêt de piquets sur les parcs ostréicoles du Cap-Ferret, au Mimbeau (double page précédente).

encore marcher des centaines de mètres. Elle fait se croiser le pêcheur et le parqueur. L'un part en mer à marée haute jusqu'aux passes du grand large, l'autre prend le chaland lorsque la marée baisse et qu'elle découvre les parcs. Elle vide les ports. Passez à La Teste. La darse est gonflée de vase et les bateaux couchés sur le flanc tel un troupeau de bêtes au repos attachées par le col. Le flot remonte avec la souplesse silencieuse d'un serpent et la vie reprend. Il y a beaucoup de chais à cet endroit-là. Posés le long du quai sans rien de mesuré ni de réglé. Rien de calculé. Il ne faut pas faire attention à ce qui est laid. Les bidons en plastique, la récupération d'objets en loques, les bois écorchés, les épaves qui servent encore de rangement. L'âme du pays bat dans cette opposition, dans sa double, triple personnalité. Sur ses arroyos semés de pinasses, le long des piquets rongés par l'humidité. Sur ses chemins endigués de coquilles d'huîtres qui mènent aux bassins et sur ses prés salés où campent les cabanes posées sur des dés permettant le passage de l'eau. Dans ses villages qui se sont développés en petites villes bourgeoises : il s'agit de Cassy ; d'Arès, où depuis la plage on voit l'aérium de la fondation Wallerstein, exemple étonnant d'architecture médico-sociale érigé en 1918, à l'état d'abandon ; de Taussat, que fréquenta Henri de Toulouse-Lautrec, en vacances chez des amis. Il se baignait nu, un mouchoir sur la tête attaché aux quatre coins et il s'accompagnait d'un cormoran qu'il avait dressé pour la pêche. D'autres fois, il bivouaquait vers le lac de Cazaux, écrivant à sa mère ses aventures d'explorateur. Sarah Bernhardt préféra Andernos, « anse d'or où s'endort l'Océan apaisé ». Elle y séjourna plusieurs étés de suite à partir de 1915.

Les villas, souvent bâties en dur, en alios, moins onéreux que la pierre, arborent avec modestie un pignon et une galerie à colonnettes dévorées par la glycine et les rosiers. Les plus riches s'agrémentent d'une frise en bois. La dame du Pyla habite dans l'une de ces habitations : « Ma mère malade avait besoin de l'air des pins pour guérir. Dans cet

C'est Arcachon qui a lancé la mode balnéaire au XIXe siècle. Les immenses plages de sable s'y prêtaient comme celle du Moulleau (ci-dessus). Vers 1862, Péreire vit dans cet ensemble de mer et de forêt l'étoffe d'une station médicale sans précédent à bâtir. Ainsi est née sur la dune la ville d'hiver (page de gauche) qui attira un grand nombre de convalescents et de gens du monde venus respirer l'air robuste de l'Océan sous un climat serein.

Pour animer les ruelles souvent désertes, les villages aux coquettes maisons de bois fleurissent leur devant de porte. À L'Herbe, au Canon ou à la Vigne (page de gauche), un décor végétal travaillé et naïf remplace la treille et le figuier qui poussaient autrefois devant chaque cabane. Des fleurs simples de jardin de curé envahissent les jardinières dans un patchwork de couleurs et une exubérance populaire qui intègre le linge à sécher. Au Canon, cohabitation de villégiatures pimpantes dans l'univers de travail des ostréiculteurs convertis à l'ère du plastique (à droite).

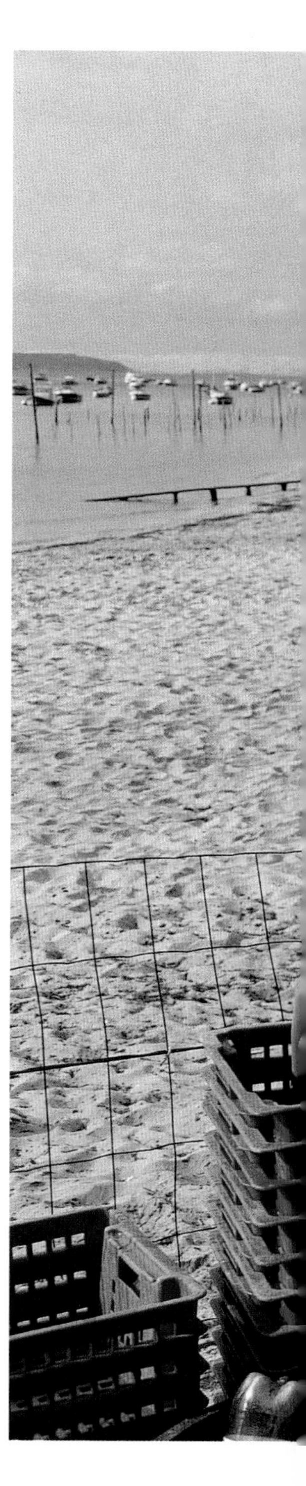

L'arcachonnaise est l'habitation typique du Bassin : bois peint, auvent, pignon, colonnes, lambrequins et plan symétrique évoquent ses cousines des tropiques.

espoir, mon père avait baptisé la villa *Espérance*. C'était en 1922. Elle était noyée dans la forêt. » Marie-Amélie n'a jamais quitté *Espérance*. Cela ne l'empêcha pas de fréquenter Arcachon lorsqu'elle fut nommée sténodactylo dans une banque à Arcachon. Elle faisait la route quatre fois par jour à bicyclette. Cela dura jusqu'en 1972. Les meubles sont ceux de ses parents et elle ne se souvient pas en avoir acheté, à part la cuisinière et le réfrigérateur. La cheminée de la cuisine chauffe à elle seule la maison. Les deux chambres sont remplies d'un fouillis de papiers, de boîtes vieillies, d'images pieuses où s'accroche une branche de buis bénit et d'objets hétéroclites qui envahissent la commode. Cet enchevêtrement de souvenirs plus proche de la sédimentation que du désordre incontrôlé traduit son carnet de vie qu'elle commente avec vigueur. À quatre-vingt-six ans, elle reste une femme « moderne », conduit sa voiture, nage dès que le temps le permet, s'affaire dans son jardin.

Sur la côte noroît, les villages ostréicoles se sont constitués de façon élémentaire à partir du XIXe siècle : Claouey, Les Jacquets, Grand Piquey, Jane de Boy, Piraillan, Le Canon, La Vigne, L'Herbe, le Cap-Ferret. Toujours en activité, ils se prêtent de nos jours à la villégiature dénuée d'arrogance qui tente de les respecter. Hors saison, ils apparaissent dans leur vérité profonde. Au hasard d'une fenêtre entrebâillée, on peut encore apercevoir un intérieur de personne âgée, démodé, propret mais inchangé depuis cinquante ans avec le progrès moderne de cette époque-là. Où le linoléum, le Formica et la couverture synthétique côtoient le mobilier acheté dans l'entre-deux-guerres sur le catalogue des Armes et Cycles Saint-Étienne.

Les façades sont très gaies : elles associent le vert à l'orange, le blanc au rouge, le jaune au bleu, l'ocre au vert pâle, et le rose au rose comme celle-ci fanée par les ans qui semble s'ensevelir dans le sable en bordure du débarcadère. Les venelles sont traversées par une lumière longue qui caresse en oblique les pas des portes où poussent la rose trémière et le géranium méridional.

Marie-Amélie vit dans les meubles de ses parents. À peine a-t-elle intégré quelques objets.

Le jardin de bonsaïs créé il y a dix ans par Marie-Hélène Ligot-Delis, sinologue passionnée, agrémente l'entrée de son atelier de céramique.

On y reconnaît l'orme du Japon et autres espèces taillées en cascade ou en nuage. Des animaux de bronze complètent la mise en scène.

Les crémaillères, qui transportaient les chariots d'huîtres, n'en finissent pas de rouiller sur le rivage. L'Herbe a hérité de la chapelle algérienne érigée, il y a plus d'un siècle, par Léon Lesca. Ce petit port qui a eu sans y penser un certain génie de la joie de vivre sur ses façades cultive le naturel où les estivants, guidés par son attrait, viennent se couler dans la vie des autochtones.

Piraillan a modernisé ses façades, pas toujours de façon heureuse. Il n'empêche, le village reste vrai. Il y a surtout une dame aux doigts verts qui compte plus de huit cents variétés de fleurs dans son jardin « extraordinaire », de nos régions ou de pays lointains. Elle récolte des graines exotiques pendant ses voyages d'aventures un peu partout dans le monde, les ramène dans ses poches et de retour les fait pousser devant le chenal.

Le bateau reste le plus séduisant moyen d'arriver à Cap-Ferret. Vous accostez sur cette langue de sable qui baigne entre deux eaux : l'Océan d'un côté, le Bassin de l'autre. Le phare émerge au-dessus des pins auréolé par des nuages séraphiques. Les belles villégiatures s'alanguissent en front de mer ; plus loin vers le Mimbeau, le village des pêcheurs dont la mémoire reste intacte revendique son authenticité. Le chemin qui y conduit mène chez Marie-Hélène Ligot-Delis : quelques mètres carrés suffisent à cultiver l'art des bonsaïs devant son atelier de céramiste, des plantes grasses, des hortensias de toutes variétés et des arbustes qu'elle taille et travaille comme une sculpture. Chaque matin, comme l'écrivain Colette, elle a rendez-vous avec « sa fleur », dit-elle pour nourrir et apaiser sa passion convulsive de la nature.

Il n'y a jamais eu de village dans la forêt, seulement des hommes qui s'y installaient pour travailler. Restent en témoignage des maisons forestières isolées et encore quelques maisons de gemmeurs à la retraite. Au hasard d'un chemin de sable semé d'aiguilles de pins qui craquent sous les pas, entre la forêt usagère de La Teste et la dune du Pilat, au moment où on atteint une clairière, trois cabanes sortent des arbres qui les cachent à moitié. Une clôture

L'univers créatif de Marie-Hélène Ligot-Delis est à la fois minéral et végétal. Son travail de céramiste s'appuie sur des recherches de matières brutes, calcinées ou vernies. Son jardin est la continuation naturelle de cet univers très personnel. Elle rassemble en collection les plantes grasses et les cactées, l'échinopsis dont la fleur ne dure qu'un jour, la barbe de dragon, la vigne chinoise et l'helxine, très exigeante. Les bourdons folâtrent dans les hortensias et les zinnias. Alors que les objets d'art populaire trouvent leur juste place dans la cuisine.

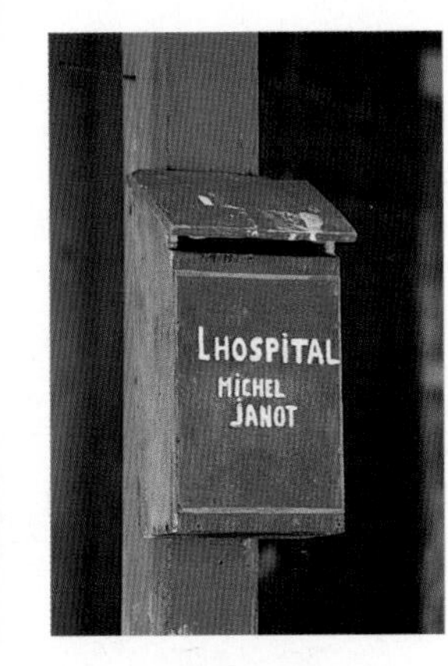

de bois, un pré et des poules, un puits, un four à pain, une remise, une grange… l'imagination hésite entre le repaire d'un chercheur d'or et une ferme au cœur de la prairie américaine. On est chez un ancien gemmeur, un guetteur muet de solitudes sylvestres qui veille sur la forêt avec l'œil d'un Sioux. Autrefois, il incisait « l'arbre d'or » au hapchot et la résine coulait dans les pots de terre cuite que les brocanteurs s'arrachent. Autrefois encore, il y avait des vaches dans l'enclos, des cochons, de la vigne, un potager, une bonne réserve de bois. Il a commencé à travailler à l'âge de quinze ans en suivant son père qui lui a appris le métier. Sa mère faisait le pain. Des muletiers apportaient les provisions. Jeannot ne s'est jamais marié, n'a jamais quitté la maison. À quatre-vingts ans il prend sa mobylette deux fois par mois et va faire ses courses. Pas question pour lui de rejoindre le village. Il préfère se retrouver seul à seul avec lui-même, surtout avec la nature, du moins avec ses souvenirs et son chien.

L'un des derniers résiniers de la région landaise vit comme Diogène, à la lisière de la forêt. En philosophe, en solitaire, avec son chien. Arrivé à l'âge de sept ans, il n'a jamais quitté la maison, vivant en autarcie avec son frère et ses parents. Le mobilier, qui n'a jamais changé de place, ne craint plus la poussière des ans.

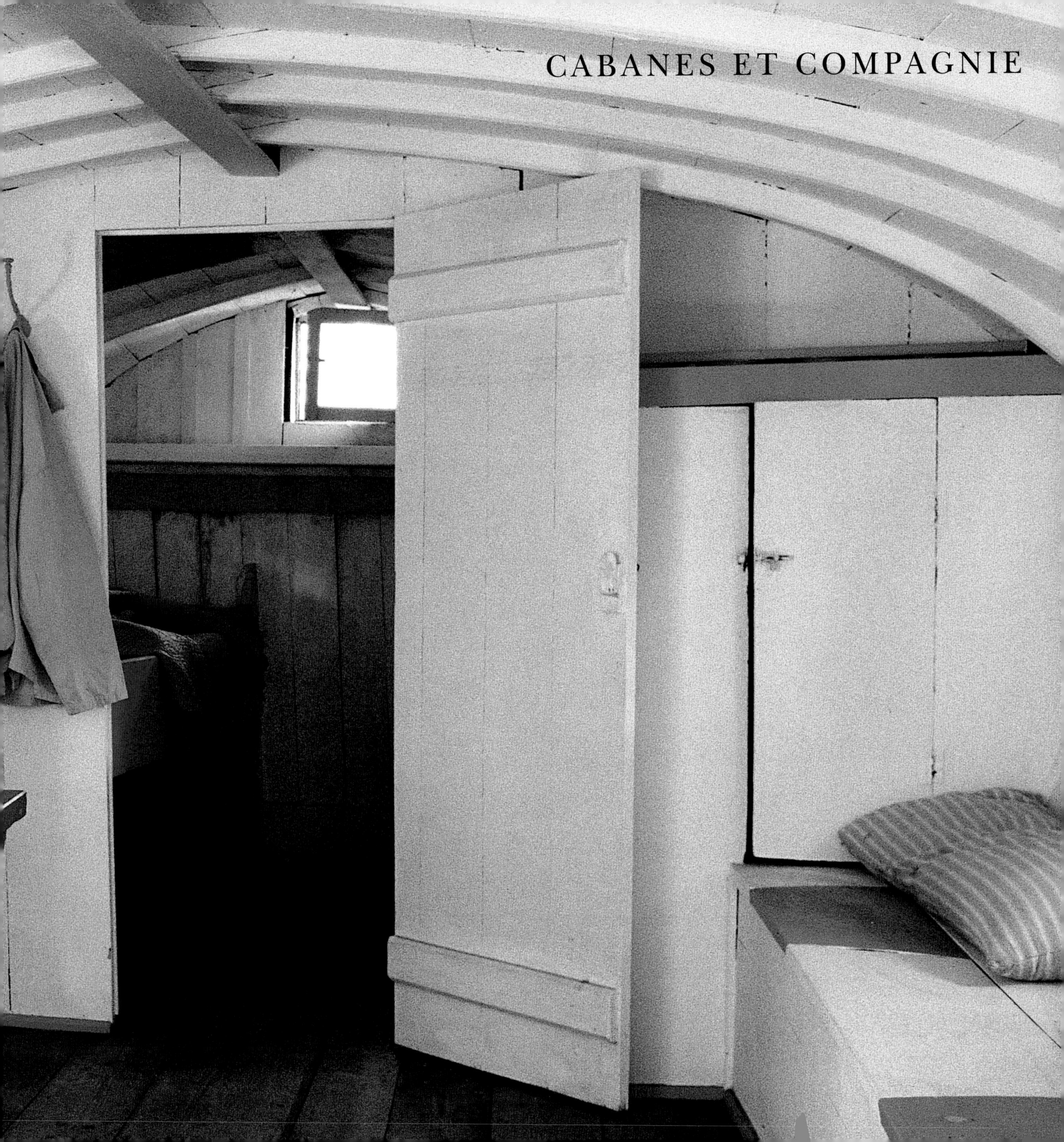

CABANES ET COMPAGNIE

3

CABANES ET COMPAGNIE

Le ponton Caprice, après avoir gardé les parcs à huîtres, poursuit ses vieux jours dans un jardin du Cap-Ferret, tout près de l'eau. Il fut habité jusqu'en 1980 par une Anglaise qui l'avait réaménagé en résidence d'été. Près de la proue, une pompe à bras amène de l'eau de source. La lumière entre par des fenestrons à volets. Les chênes font ombrelle autour du bateau et les cyclamens sauvages poussent dans le sous-bois.

« Je vis ici de rien dans ma cabane si heureux et si riche », écrivait Jean Cocteau lors d'un séjour au Piquey, petit village de pêcheurs sur la côte noroît. Le poète vient de découvrir ce « rivage nègre » baignant dans le charme colonial des cahutes noires posées de façon désordonnée. Là, entre le défriché et l'inconnu, le sable vierge et la prairie marine, il touche au paradis. Ce qu'il appelle « ma cabane » a pour nom *Chantecler,* une modeste pension de famille. Maison de planches avec balcon, sans eau et sans électricité, dont la situation privilégiée entre plage et pinède fait son luxe. Il y séjournera plusieurs années de suite jusqu'en 1923. Y reviendra plus tard en compagnie de Jean Marais. Dans une lettre à sa mère datée de 1917, il note : « On rame, on dort, on se roule dans le sable, on se promène tout nu dans les paysages du Texas. » De baignades à marée haute en promenades en pinasse jusqu'aux cabanes tchanquées, il coule des jours délicieux. Cette eau plate comme une mer ancienne l'inspire. Il écrit, il dessine, Raymond Radiguet rédige *Le Bal du comte d'Orgel,* Georges Auric commande un piano qui débarque sur la plage en « gondole ».
La petite bande d'amis parmi lesquels comptent Jean et Valentine Hugo, Max Jacob ainsi que des artistes de la Comédie-Française viennent le rejoindre à tour de rôle car l'auberge ne peut accueillir tout le monde.

Vers la même époque, depuis leur agréable villégiature d'Arcachon ou du Pyla, les familles bordelaises s'intéressent à cette côte sauvage qui leur fait face. Sous le surnom de « Far West », elle deviendra leur aire de jeux préférée. Ils y accostent en bateau, seul moyen d'aborder la presqu'île, chassent à la saison, construisent des cabanes. Un petit hôtel a ouvert à la pointe, ravitaillé par le *Courrier du Cap* qui fait le va-et-vient entre les deux rivages. Le boucher livre en charrette à sable. Bientôt, les Parisiens curieux de découvertes, voulant prendre des distances avec la vie trépidante et mondaine de la capitale, accourent. Parmi eux, Félix Capdevieille, expert en objets d'art, vient un jour de 1910 livrer un buste de valeur signé Augustin Pajou chez un collectionneur arcachonnais. Il tombe sur-le-champ amoureux de ce littoral aperçu lors d'une sortie en mer, et avec le bénéfice de la vente fait bâtir une cabane en bois aux Jacquets. Interprétation agrandie et confortable de la cabane de pêcheur, elle annonce l'ère des robinsonnades et des plaisirs balnéaires. Peu à peu, une colonie

La propriété Carpe Diem *est située à la pointe du Cap-Ferret comme un bout du monde. La cabane s'allonge sur le sable pour résister aux vents : toiture en tuiles, auvent conçu comme une varangue où Benoît Bartherotte campe son bureau par beau temps, murs et parquet en pin des Landes.*

de citadins venue reprendre son souffle s'y installera pour l'été en s'inventant une vie calquée sur la nature.

La cabane est un rêve d'enfant qui vient y refaire le monde. Son allure de case primitive crée chez l'adulte un mythe ancré dans son jardin secret. À la fois refuge de Robinson et abri dans les arbres où le Baron perché d'Italo Calvino décide de passer sa vie, mais aussi retraite créative pour les artistes et observatoire pour amoureux de la nature, elle sert de cachette secrète aux solitaires et aux âmes contemplatives qui conversent avec la liberté. On y vit en bernard-l'hermite, en explorateur ou en bon sauvage. Dans un sentiment d'oubli purificateur.

Une épave de bateau peut faire office de cabane. C'est l'idée de prendre le large tout en restant dans sa coquille qui a guidé le choix de Simone Aris pour un ponton. Cette dame très digne, professeur de français en Angleterre, repeignit l'habitation de teintes fraîches, l'aménagea agréablement de peu de choses, s'éclaira à la lampe à pétrole et baptisa son royaume *Caprice*. Au XIXe siècle, cette embarcation traditionnelle coiffée d'un toit servait à transporter marchandises et courrier postal entre Arcachon, La Teste et les petits ports de la côte noroît. On lui attribua aussi le rôle de gardien autour des parcs à huîtres contre voleurs et prédateurs. Tout était prévu dans cet habitat précaire : une minicuisine à l'arrière, des cabines où dormir. Les ostréiculteurs vivaient là, ce qui leur permettait d'être sur place pour travailler. Mais, victimes des querelles entre pêcheurs et ostréiculteurs qui défendaient bec et ongles leur fief, les pontons furent tirés sur le sable par des chevaux puis remplacés par d'autres usages. Ils finirent leurs vieux jours en remises, en cagibis ou en poulaillers. Les coques découpées servirent de vieux bois, on les brûla. Le dernier ponton du Bassin poursuit sa retraite sous les chênes. Pour ceux qui le préservent et l'ouvrent aux beaux jours, il n'en faut pas plus pour se délasser loin des regards du monde et nourrir son imaginaire d'évasion.

Les chais d'ostréiculteurs, les maisons de pêcheurs, engendrent de nombreuses convoitises. Lieux de travail et de vie dans les villages, elles sont difficiles à acquérir. Ces petites constructions qui pourraient paraître désuètes sont retapées à l'identique. Des bricoleurs frivoles et des gens du monde, amateurs de nature et de chic hippy les interprètent en bois neuf dans la végétation parfumée des pins et des mimosas. Elles gagnent en volume et en confort ce qu'elles perdent un peu en authenticité. Prises entre un autrefois qu'elles n'ont jamais connu et un présent qu'elles vivent dans la modernité, elles transmettent à leur façon une idée de la tradition interprétée au goût du jour.

Pour Benoît Bartherotte, la vraie cabane est celle que l'on construit soi-même. À la pointe de Cap-Ferret, limite du continent, il a bâti la sienne il y a dix-huit ans. Quand il décide de quitter l'encombrement parisien pour habiter avec Zaza, sa femme, et ses sept enfants, tous deux savent où concrétiser leur rêve. D'origine bordelaise, ils ont toujours passé leurs vacances ici. Les racines maritimes sont solidement ancrées dans leurs familles. Celle de Zaza comptait des armateurs bordelais pendant le XVIIIe siècle.

Dans la chambre (à gauche), portrait de Louis XVI, fauteuil XVIIIe *et désordre inspiré. Côté salle à manger (ci-dessus), les repas se passent près de la cheminée, sous une peinture de Monique Cras. Côté cuisine (ci-contre), le poêle en fonte ronfle tout l'hiver près de la grande armoire en acacia.*

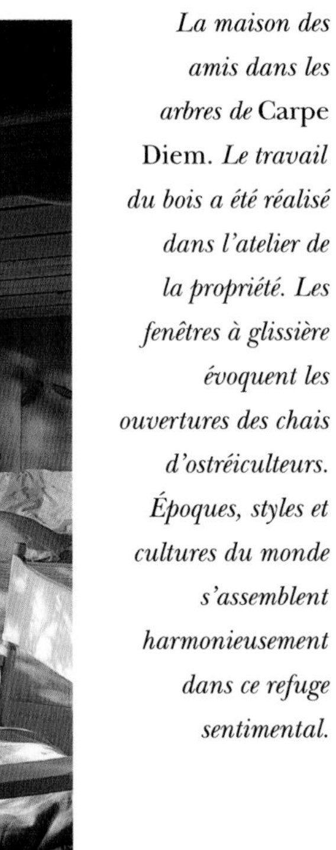

La maison des amis dans les arbres de Carpe Diem. *Le travail du bois a été réalisé dans l'atelier de la propriété. Les fenêtres à glissière évoquent les ouvertures des chais d'ostréiculteurs. Époques, styles et cultures du monde s'assemblent harmonieusement dans ce refuge sentimental.*

Quant au grand-père de Benoît, grand sportif et fou de voile, il s'installa devant la mer au Pyla. Sa mère hérita de la même passion. La collection de photos sur plaques de verre que Benoît conserve précieusement dans les caisses met en scène la vie sur le Bassin au début du siècle dernier, les régates très cotées d'Arcachon, les pique-niques, les parties de pêche et tout le bonheur qui entourait ces journées. Dans les années cinquante, la famille quitte l'endroit, trop urbanisé à son goût, déménage au Cap-Ferret où le mode de vie convient davantage à ses affinités sauvageonnes. « Il y avait un noyau de chasseurs et de pêcheurs à l'allure insensée, des artistes distingués complètement assimilés aux gens d'ici », raconte Benoît. « Adolescent, je dormais déjà dans ma cabane, j'allais chercher l'eau à la pompe et nous nous lavions dans de vieux tubs, face à l'Océan. Pour parvenir ici, nous nous frayions un chemin à travers les genêts. J'ai imaginé là des rêves immenses. » Il se souvient encore de ses premiers exploits nautiques à l'âge de six ans sur un youyou, bricolé avec un piquet à huîtres et une voile de fortune. De tout ce passé, Benoît tire les plans de sa première cabane sans déroger aux techniques ancestrales. Il la construit en pin des Landes, brut de sciage, charpentes chevillées avec du bois d'acacia coupé dans la propriété. Tout est fabriqué maison – placards, tables et bancs – au point d'installer dans le hangar un atelier de menuiserie où les enfants mettent la main à la pâte. Plus aucun secret de charpentier ne leur résiste. La famille grandit, on en construit une pour les aînés. Puis une autre, plus grande, à partir de ce qui reste des ruines d'une construction bâtie à l'origine sur le terrain.

Nulle part ailleurs le vent n'use les dunes et l'Océan ne gagne sur la terre en un phénomène inéluctable d'érosion qui rend le paysage aussi fascinant que fragile. Benoît lutte contre cette érosion de plus en plus menaçante qui engloutit des pans entiers de sable car elle met en danger non seulement le rivage mais l'équilibre général du Bassin. Des milliers de tonnes de pierres et de blocs de ciment versés régulièrement par

des camions endiguent le rivage et ont jusqu'à présent permis de préserver cinq cents mètres sur la pointe. Un travail titanesque. De mémoire d'homme, les dunes de Cap-Ferret n'avaient jamais vu cela.

Carpe Diem a une véritable dimension onirique. L'intérieur de chaque cabane est un rivage où les objets s'accumulent, tissés d'échos et de rappels, associant d'infinies variations à travers les siècles, les cultures du monde et l'art populaire. Loin du simple inventaire ou de la reconstitution fantasmatique du passé. Cela tombe toujours juste. Les choses les plus infimes, un bout de bois flotté trouvé sur la plage, une collection de coquillages, un abat-jour imaginé dans un bout de papier, mais aussi les peintures de Marguerite, l'une des filles, et des tableaux anciens, les masques africains, la collection de faïences de Saint-Omer et les plats de Samadet, l'armoire bordelaise et les lits Directoire, les sièges en cuir avachis mais rassurants, recouverts d'étoffes africaines achetées sur le marché de Cap-Ferret, les fauteuils Louis XV et les maquettes de bateaux, les piles de livres partout, même dans des caisses en bois, ainsi rassemblés, constituent une sédimentation naturelle de la mémoire.

Dans la grande pièce à vivre règne Zaza, excellente cuisinière régalant quotidiennement la grande tablée d'enfants et d'amis. L'été, on déjeune toujours dehors face au paysage encore libre des empreintes de l'homme. Cette impression de terre vierge connaît son accomplissement avec les yuccas, les bambous, les filiféras, variété de palmier arrivée des Canaries, les tamaris, les figuiers, la vigne qui court le long du toit, les bambous, les mimosas, les griffes-de-sorcières ramenées des Baléares…, en citer dix c'est oublier les autres espèces. On est quelque part dans un Sud idéal totalement sauvage, dont le mélange contrasté d'aridité et de douceur ne peut être comparé à aucun autre lieu. « Un pays si beau comme si de le contempler pourrait être suffisant pour vous rendre heureux toute votre vie », écrivait Karen Blixen à propos de son Afrique tant aimée. La phrase s'adapte parfaitement à ce bout de Cap-Ferret.

À Carpe Diem, *la cabane des enfants est perdue dans une jungle de pins et de mimosas. Le « style Bartherotte » s'appuie sur des principes très précis. Un matériau brut et chaleureux, le pin, sert d'écrin aux meubles hérités de famille dont la patine fusionne avec les formes primitives de l'art africain, et le* XVIIIe *siècle avec tout ce qu'on récupère dans la nature et dans la mer: coquillages, bois lavé, cailloux, immortelles… sans craindre l'amour de l'accumulation, le désordre du campement et la poussière du sable. Un art de vivre singulier qui se reflète dans la maison des amis (double page précédente).*

Le refuge du solitaire

Le confort est rudimentaire mais le mode de vie calqué sur celui du petit port près de l'Aiguillon, débranché du temps se prête au repos de l'âme. L'unique pièce a conservé sa structure de chai et le matériel dans un coin. Simplement aménagée par un solitaire qui vient s'y ressourcer quelques heures en été, elle compte un lit en fer forgé trouvé dans un grenier, coquettement paré de morceaux d'étoffes anciennes. L'unique table se trouve dehors. Un barbecue archaïque est toujours en place sur la parcelle de terrasse, face au Bassin.

En suivant le chemin attrapé au détour d'une station-service et ourlé de maisonnettes, on aboutit à un cul-de-sac. Le petit port du fond du Bassin est planqué derrière les touffes de cotonniers et de ronces. Quatorze bicoques tout au plus, non mentionnées sur le plan. Il faut y arriver avec des pas de chat et veiller à ne faire aucun bruit inopportun qui dérangerait la solitude de l'endroit.

Rien sur la lagune, hormis deux chalands qui croisent loin et quelques modestes embarcations amarrées aux piquets. Deux ou trois hommes vont et viennent entre chais et berge. À marée basse, l'air s'emplit d'une odeur de vasière fertile. Plus loin, une épave de pinasse rongée par les mousses a été mise à sec.

Qu'est-ce qui peut bien amener à s'isoler ici ? Le désir d'évasion qui vous fait caresser une certaine conception du bonheur simple : pêcher, rêvasser devant son pastis, raboter la porte, fabriquer un banc. Surtout, l'atmosphère étrange de ce paysage liquide, imbibé d'une sorte d'infinitude, primitif comme un rivage africain baigné dans des lumières sublimes. « C'est un univers masculin », dit le locataire de ce chai d'ostréiculteur. Ici, pas un touriste, aucun intrus.

Au milieu des outils, fils de fer, piquets, bottes, casiers à crabes et clous, l'homme des villes installe son baluchon. Rien que du sommaire et de la récup : un réchaud lilliputien, un lavabo ancien trouvé dans une décharge, un broc à eau, une table, un siège de jardin en fer forgé rouillé, un lit pour la sieste, un coussin qui perd son rembourrage. Un buffet d'angle d'époque ancienne privé de cire depuis belle lurette. Telle une version nouvelle du Folk Art, l'installation chargée de poésie et d'humour garde en elle un grand pan d'enfance.

Le devant de porte est le point stratégique, celui qu'on ne quitte pour ainsi dire jamais : deux tréteaux et une vieille porte improvisent la table, on s'abrite sous le parasol, on fait la sieste dans une chaise longue. Être assis ici, c'est laisser mordre le temps qui passe à l'hameçon des rêveries, comme un art qui offre la paix de l'âme.

Le décor s'est meublé d'un bric-à-brac aussi sensible qu'inventif de choses récupérées et glanées au hasard des jours et des humeurs.

L'abri du chasseur

Elle est non loin de l'eau mais au fond du jardin. À quelques mètres de l'habitation principale et à l'écart de tout. La chambre du fils aîné de la famille dépanne l'invité de passage quand la maison affiche complet.

Petite construction authentique en bois recouvert d'un grillage à poules où s'accroche un enduit de chaux, elle a au moins cent ans. Avec son toit de tuiles ourlé d'une vigne, elle a conservé de cette époque les volets à meurtrières qu'avaient découpés les hommes pour chasser l'oiseau migrateur pendant l'automne. Ils amarraient leur chaland sur cette lande déserte où l'effet conjugué des vents et des sables empêchait une implantation massive des pins. Ils séjournaient là quelques heures, plusieurs jours, chauffés par le feu de cheminée dans laquelle ils faisaient griller le gibier. Les fameux quarante-quatre hectares où elle se trouve n'avaient pas entamé leur ère de station balnéaire.

La cabane a survécu, s'adaptant aux différentes fonctions qu'on a pu lui donner. Des adolescents romantiques sont venus y amarrer leurs rêves. Elle est suffisamment grande pour recevoir un lit ancien, une table, des sièges, des étagères de rangement. Des cartes postales, des photos glissées entre un chandelier en cuivre et une pile de livres – Conrad, Hemingway mêlés à Simenon et à la Bibliothèque verte –, des tableaux maladroits et naïfs, toutes sortes d'objets marins récupérés la rendent encore plus sensible. À chaque printemps, son vieil âge est ragaillardi par de menus travaux: un coup de peinture, une planche à changer, une tuile à replacer.

Abritée des vents marins, elle s'entoure d'une végétation de jardin de curé, mêlant iris, giroflées, mimosas, vigne grimpante et roses aux couleurs qui n'ont jamais vraiment cherché à s'associer mais dont le charme intuitif est inimitable. Mariage réussi de feuillages flous, de tiges aux formes souples et de plantes exotiques. Côté Bassin, des haies taillées impeccablement sans meubler vaniteusement l'espace, la protègent des regards extérieurs mais ne lui enlèvent pas la vue dont on jouit depuis la fenêtre et la grande terrasse.

L'une des plus anciennes cabanes de chasseur, préservée, a été transformée en chambre d'été rudimentaire. Rien de trop mais ce qu'il faut pour s'endormir en écoutant le clapotis de l'eau. Un fenestron fait face au Bassin pour profiter de la vue.

Une famille et trois cabanes

Comme un rêve qui sillonne les mers de l'enfance et reste ancré toute une vie dans le cœur de l'adulte, deux cabanes pas plus grandes qu'un carrelet, arrachées à une page de Stevenson, nichent dans les mimosas embroussaillés de Cap-Ferret, toutes fenêtres captées par l'appel de l'horizon marin. De ces refuges précaires naissent les plus grands sentiments de liberté car ils embrassent toute la poétique du monde.

Entièrement construites pour ses enfants et copains des enfants par un bricoleur, bâtisseur dans l'âme, qui fait de l'art de la charpente un de ses hobbys préférés mais navigue par amour de sa profession dans les hautes sphères de la chirurgie. Elles s'accrochent à la pente par des pilotis, un petit escalier les sépare du Bassin. Le jeu des troncs d'arbres, la circulation dans les feuilles, toute la nature si dense, si proche, créent un lien indissociable entre les branches et l'eau.

Dedans, pas de superflu. Juste des lits, des étagères où ranger les chandails et la collection de coquillages que l'on aime comme un frère, une table pour finir le week-end les devoirs. Tout parle de soleil et de mer: les chapeaux de paille, les couettes rayées, les cannes à pêche, les planches de surf.

La troisième cabane, celle des parents, n'est guère plus spacieuse. À peine apparaît-elle sur la butte, mais du haut de sa terrasse, où l'on prend le soleil dans les Adirondacks, elle fait le vigile. Lorsque la morte saison arrive, on cadenasse tout, un seul volet mal fermé serait arraché par la tempête. Les cabanes se rouvrent dès qu'elles reçoivent la première caresse du printemps.

Construction éphémère puisque par principe démontable, la cabane est la solution idéale des vacances. Enfouie sous les arbres, celle des enfants agrandit son petit espace par une terrasse où regrouper le matériel de pêche et les sacs marins (à gauche). Dans celle des parents, la chambre est cloisonnée pour libérer la pièce à

vivre qui est doublée à l'extérieur par une grande terrasse. La minicuisine est dissimulée par un comptoir. Des marines animent la blondeur du bois, réchauffé encore par des rideaux (à gauche).

Un décor désuet empreint de discrétion souffle dans chaque pièce de cette ancienne cabane entièrement construite en bois qui ignore la tyrannie des modes. Les tableaux de la fin du XIXe siècle ajoutent une note de délicatesse qui se retrouve dans la lumière impressionniste sous l'auvent.

Le passé composé

Selon la tradition des cabanes de chasse – bardage de pin coupé dans la forêt usagère, toit de tuiles à deux pentes et auvent –, celle-ci, des années trente, paraît avoir été arrachée à un tableau de Lucien Alaux, artiste local du XIXe siècle. Elle est située à la pointe de Cap-Ferret, sur les quarante-quatre hectares que l'État avait mis en vente en 1905 moyennant des obligations d'entretien de la part des nouveaux propriétaires pour lutter contre l'envahissement du sable et l'érosion de l'eau.

Ce modeste bâti servait aux amoureux de la nature, pêcheurs et chasseurs, qui y accédaient par mer. Entre l'automne et le printemps, les hommes venaient y scruter l'étendue et les cieux, le mouvement des oiseaux et celui des vents. Certains préféraient glisser sous les arbres vers des sites de guet où ils s'installaient pour la journée. Puis on ajouta deux ailes symétriques et la cabane se métamorphosa en coquette habitation sans trahir son esthétique initiale. Elle est aujourd'hui la propriété d'un chasseur amoureux des forêts landaises, qui partage son temps entre ses activités bordelaises et le Bassin.

La galerie abrite une grande table en bois et des bancs qui ont conservé l'esprit festif des casse-croûte avant la partie de chasse. À l'intérieur, le charme du vécu meuble chaque pièce. Autour de la cheminée, la bibliothèque en contreplaqué de pin, dessinée par l'architecte Yves Salier, remplie d'objets, conserve les souvenirs comme s'il n'y en avait jamais trop. À voir les compotiers chargés de fruits et les paniers de légumes du potager, la salle à manger partage une atmosphère de campagne gourmande qui se nourrit des meilleurs produits du marché. La chambre désuète – une commode ancienne et un tableau de Chassaigne, ami de Lautrec – respire l'harmonie. La giroflée jaune livrée à elle-même pousse dans un jardin où se mêlent d'autres fleurs sous le pommier, créant des associations inattendues entre l'univers du jardin et la forêt.

L'atelier de l'artiste

Il est une cabane-bateau, qui dévoile parfaitement la nature poétique de son locataire, le peintre Jean-Pierre Marladot. Épinglée comme un dessin d'enfant au fond de l'escourre du Jonc, à Cap-Ferret, entre mer et rivage, protégée par les touffes de baccharis et les joncs, elle flotte aux grandes marées mais de place jamais ne bouge.

Pour les curieux qui viendraient troubler son intimité, se frayer un passage dans la brousse océane tient de l'aventure au temps des chercheurs d'or. Lui, l'artiste, s'est fait le chemin depuis un jour de 1979 où en promeneur solitaire il découvrit le trésor : l'habitation était ouverte aux quatre vents, remplie de détritus. Pour toute identité, une enveloppe abandonnée datée de 1956, le cachet de la poste faisant foi, un nom, une adresse à moitié effacée lui permirent de percer le mystère. Il prend contact. « Prenez-le, je n'en fais rien », répond le propriétaire, peintre lui aussi, ayant déserté la région. Dès lors, Marladot en fit son refuge créatif.

L'artiste plante le chevalet sur cette parcelle de jardin secret. Il travaille l'aquarelle parce qu'elle est « immatérielle comme la lumière », préoccupé par tout ce qui touche au temps, à l'usure, à la disparition. Les devantures des anciennes échoppes, les fruits mûrs, les étoffes anciennes pliées dans les armoires, les yuccas, et toutes sortes d'objets quotidiens font partie de ses thèmes qui réveillent une mémoire assoupie, installés dans le réalisme d'une nostalgie poétique.

Cette inspiration affective nourrit le décor de sa cabane-atelier avec des petits riens fragiles qui savent capter la poésie du temps : une table de guingois, un banc, des boîtes dans lesquelles il range le sucre et le café, un ancien lit en fer pour la sieste, des ouvrages sur ses peintres préférés parmi lesquels Edward Hopper. La chose la plus précieuse étant sa mallette remplie de pinceaux, de chiffons et de tubes de gouache dont il ne se sépare jamais.

L'atelier-bateau de l'artiste Jean-Pierre Marladot n'est pas plus grand qu'un mouchoir de poche. Ce qui ne l'empêche pas de trouver l'inspiration pour ses aquarelles dans ce cocon en bois. Ici, pas d'eau et pas d'électricité mais beaucoup de sérénité et un coin cuisine pour les repas.

Dans un hangar à bateau

L'architecture rigoureuse n'oublie pas son passé de hangar et tire sa force du volume initial et de la lumière apportée par les ouvertures. La cuisine, (à gauche), blanche et Inox mat, s'intègre à l'esprit du lieu.

Malgré la vue des dunes clairsemées d'oyats, où fleurissent l'immortelle jaune, le chardon bleu, et au printemps le liseron rose des sables, peu de constructions se sont hasardées du côté de l'Océan. Et pour cause : le vent puissant et la mer érodent et fragilisent le paysage. Il faut s'abriter à la lisière de la pinède.

Il arrive d'y trouver une perle rare cernée par l'épaisse frange des pins. C'est le cas de l'ancien hangar où l'on réparait les bateaux et les gardait pendant l'hiver, transformé en villégiature par une famille de six enfants avec une seule finalité : y être heureux. Un challenge à tenir sur ces mètres carrés nus, fermés par une porte coulissante posée sur deux barres de fer comme dans les fermes de l'Ouest américain.

D'abord ouvrir la façade en larges surfaces vitrées imitant les fenêtres d'atelier pour une totale osmose avec l'extérieur. Cette animation visuelle s'intègre parfaitement à la structure initiale. La cuisine, qui rassemble tout ce petit monde autour de la table, faite sur-mesure en bois brut et Inox, sert d'articulation entre les chambres des enfants, leurs sas de rangement et la grande pièce aux volumes peu encombrés : une cheminée ancienne en bois décapé encastrée dans un mur de briques dont l'appareillage reproduit celui des fermes landaises, deux canapés aux entournures confortables et une table importée d'Asie.

Le caractère industriel du lieu s'efface au profit d'une modernité teintée de simplicité qui se rattache à l'esprit d'une cabane… surdimensionnée.

Sous les vents du Cap

Grâce aux matériaux de récupération, la cabane semble davantage restaurée que transformée. Inspirée à la fois des maisons landaises et des cabanes tchanquées, elle est entièrement en planches brutes. Des terrasses relient les deux bâtiments. Les volets sont peints en rouge Dunand.

Arriver sur cette pointe de Cap-Ferret que chaque propriétaire protège jalousement, c'est accoster sur des terres restées naturelles. La route goudronnée s'arrête là où commencent les quarante-quatre hectares sillonnés de chemins en terre battue et de nids-de-poule comblés par des coquilles d'huîtres. Ici, pas d'immeubles, pas d'hôtels, peu de voitures. La discrétion est à ce prix. Le prix d'un coup de foudre de Francis Lombrail. Il connaît le coin depuis son enfance, y passait ses vacances et rêvait d'y revenir. Trop de souvenirs l'attachent à ce petit paradis. L'aventure qui a suivi aussi.

Dans les archives, il faut remonter à l'entre-deux-guerres pour trouver sur ce site l'origine de deux maisons de pêcheurs, séparées de l'Océan par un large terrain sablonneux. Le but était de conserver ce qui pouvait l'être, déblayer l'inutile, reconstruire et améliorer le confort. Respecter la tradition par des matériaux scrupuleusement choisis : planches en pin des Landes et couvre-joints sur les façades, tuile canal pour la toiture, briquettes posées sur la tranche et bois à l'intérieur. Les balcons s'inspirent des cabanes tchanquées. Les boiseries des volets, des portes et des fenêtres sont peintes en rouge Dunand. Serait-ce un clin d'œil aux laques de Pékin, appelés rouge Dunand, qui séduisent depuis toujours le maître de maison ou, venue du Nord, une vive évocation du peintre suédois Carl Larsson ? Les deux cabanes offertes à la nature sont reliées par une terrasse extérieure en larges planches de pin traité que les intempéries ont vite fait de patiner dans un velours brun-gris.

Coco, le génial bricoleur-menuisier qui bichonne le jardin, s'est associé aux travaux, a fabriqué les bancs et les fauteuils inspirés, eux aussi, de la Suède. On s'y repose comme sous les tropiques, près des palmiers et des yuccas, des fougères arborescentes et des verveines mauves, bercé par les alizés d'un climat océanique tempéré.

D'une pièce à l'autre, le bois est brut comme dans la cuisine ou peint de teintes subtiles dans les chambres. Dans le grand salon (ci-dessus), les briquettes sont posées sur la tranche à la façon landaise. Collection de pots à confit sur la commode.

Cabane des îles

On appelait « chalet » ce genre de maisonnette vouée à la villégiature. Toute de bois vêtue et de dimension modeste mais beaucoup moins spartiate qu'un abri de pêcheur. Pour l'architecte Philippe Marraud, c'était l'aubaine. Aussi attaché aux vacances ferret-capiennes que séduit par l'ambiance des tropiques, il cherchait un endroit, ni classique ni conventionnel où partager les vacances avec les enfants et passer hors saison les week-ends. La maison agréable mais qui manquait de caractère se prête aux modifications. Sans tout casser, pas un des moindres détails ne lui échappe – du faîtage au mobilier de la cuisine. Il ravive l'extérieur, respecte les matériaux, abat quelques cloisons pour réinventer une surface autrefois étriquée. L'art de vivre s'exprime en couleurs chatoyantes. Le mobilier Art déco trouvé au hasard des chines apporte le cachet d'une maison de famille.

Tout rappelle l'Océan : les boules de flottaison en verre, les maquettes de bateaux, les cordages et les bois flottés, jusqu'aux grandes voiles colorées qui s'improvisent en rideaux. Le charme du lieu se double d'un astucieux sens pratique jouant sur le gain de place.

Tout en s'accordant à l'histoire atlantique, la villa *La Mer* exhale le charme des îles lointaines dans un jardin où la nature plantureuse et aimante bruisse au moindre souffle entre les hortensias, les yuccas et les lauriers. Trois campements aux cloisons de bois dans le fond du jardin sont réservés aux amis de passage. Ils affichent souvent complet. Mais la circulation prévue par l'organisation des terrasses permet une grande indépendance et une totale liberté.

Des lits de camp sont disposés un peu partout dans le jardin pour la sieste et les bains de soleil (à gauche, en haut). Pour les amis et les enfants, chacun sa cabane, comme un campement (ci-contre, à gauche). Dans la maison principale, le salon s'éclaire de couleurs vitaminées (à droite), et la mini-cuisine offre le confort high-tech (à gauche en bas).

Moderne et forestière

Le Ferret était le square de son enfance. Son grand-père bordelais fut l'un des premiers « aventuriers » à s'amouracher de la presqu'île. En 1920, il y bâtissait sa maison. Rien d'étonnant à ce que Marie-Stéphane Malbec, ambassadrice des vins de Bordeaux, reste attachée à ces dunes. Elle avoue n'avoir jamais retrouvé dans ses voyages le charme d'ici, sauf, peut-être, « un peu » à Long Island. Cela détermine son choix : au rivage fréquenté du Bassin, elle préfère celui désert de l'Océan, le grand large qui s'épanouit librement, le silence souverain. Pas une construction, des sentiers forestiers à arpenter sur plusieurs kilomètres qui permettent de mieux pénétrer les mystères de ce bout de lande. A pied ou à bicyclette.

Là, elle choisit d'inventer sa « cabane » à partir de deux studios mitoyens, au rez-de chaussée dans une agréable résidence adossée à la dune. La cloison qui sépare les deux pied-à-terre, abattue, fait gagner de l'espace. Michel Tétaud, un ami architecte, suggère l'idée du contreplaqué en pin qui réchauffe les murs et modernise l'image traditionnelle de la maison forestière. On découpe de nouveaux territoires sans marquer les limites. Ainsi la cuisine intégrée le long du mur fait face au coin repas, lequel cohabite avec le salon. Une grande terrasse cerne l'ensemble. Deux chambres blanches, séparées par l'escalier, se calfeutrent sur la mezzanine. Autour du poêle en fonte flotte en hiver le parfum du feu de bois, compagnon indispensable des cieux gris, de la lecture emmitouflée sous un plaid et de l'Earl Grey fumant à dix-sept heures. Imagination, culture, curiosité façonnent cet univers créatif que la couleur orange ensoleille. Petits meubles chinés chez les antiquaires de la région, objets de toute origine, de quatre sous ou de valeur sentimentale, peintures, aquarelles et dessins, photographies, bouquins…, il y a dans tout cela un cachet, un mode de vie, une liberté d'humeur qui ont l'originalité de n'appartenir qu'à elle. Et, toujours, la rumeur de l'Océan qui vient mourir jusqu'ici.

Tous les murs de l'appartement sont tapissés de contreplaqué en pin dont la blondeur et les moirures ensoleillent l'espace. Sans ôter au charme des meubles anciens ce qu'ils ont d'accueillant, la maison a su prendre le tournant de la modernité. Dans la chambre en mezzanine, parti pris de blancheur. Une grande moustiquaire entoure le lit.

Au pied du sémaphore

Impression rose sur paysage vert, tel est le jardin planté de lauriers et d'arbousiers géants dont la forme est maîtrisée par des tailles savantes telle une sculpture. Oliviers et mandariniers complètent cette touche méridionale mais la prairie vert cru et les hortensias viennent rappeler que le climat est atlantique.

On n'a pas besoin de vivre dans des planches disjointes à travers lesquelles s'infiltrent les rais de lumière ou le vent d'ouest semeur de pluie pour adhérer au culte de la cabane. C'était bien la conviction de Muriel Pontaut lorsqu'elle acquit une villa de style néobasque, « bâtarde » selon ses propres termes, sur un terrain qu'elle convoitait au pied du sémaphore. « Le drapeau qui flotte me donne la météo du jour, c'est très pratique. »
Et de poursuivre : « J'aimais le terrain, pas la villa. »
Il fallut ruser. Transformer. S'inspirer de la cabane tchanquée par un bardage de pin passé au brun foncé sur les façades, agrandir les ouvertures pour dialoguer avec la nature, créer les terrasses qui donnent une respiration à la maison.

Avant même d'avoir terminé de décorer l'intérieur, Muriel s'est consacrée au jardin. Un mélange d'efforts et de plaisirs délicieux qu'elle savoure tout en se laissant guider par ses intuitions mais en respectant les volontés du sol. Faisant le tour de la maison, son jardin est construit d'arbousiers disciplinés par les tailles successives. Le pittosporum parfume le printemps, les hortensias et les lauriers-roses en masses généreuses apportent les vibrations chromatiques nécessaires à ce dessin sans fioritures.

À l'aplomb du midi, on capte le soleil sur les chaises longues de la terrasse. On y dîne le soir sous les mandariniers et les oliviers.

De l'imagination, de la personnalité, quelques virées chez les brocanteurs, le goût des textiles, une harmonie apaisante de blancs ont suffi à transformer la villa en un lieu d'une lumineuse féminité où alternent raffinement et modernité, objets du passé et formes intemporelles. Dans la pièce à vivre (à gauche), meuble à casiers et peinture de Michel Brosseau ou collection classique de bateaux, une façon d'associer les différences.

WHALES

Dans un village ostréicole

Il aime le soleil du Midi, ses lumières tranchantes ; mais, un jour, un ami l'a amené dans le Sud-Ouest. Il a attrapé le virus du Bassin et... il a adoré ça. « La nature y est davantage sauvegardée, le climat plus sain, la vie plus naturelle », avoue Christian Duval.

Il se met immédiatement en quête d'une habitation, sur la côte noroît où les petits villages conservent leur authenticité. L 'œil aiguisé de l'architecte rodé à mille expériences au sein de son cabinet parisien, Sopha Architectures, saisit au coup de cœur l'opportunité : une maison étroite et menue, calée entre deux autres dans une ruelle du Canon, construite il y a peu de temps sur un terrain privé qui voisine le Domaine public maritime. Rien ou presque ne la distingue des autres, ni sa façade en bois peint, ni sa pimpante allure villageoise. Fille du pays elle est, fille du Bassin elle restera, se dit l'architecte. Question de discrétion. Utilisé pour faire les emplettes au marché et pour la promenade, le vélo est appuyé contre la façade. D'ailleurs, l'étroitesse des rues n'accepte pas les voitures.

À travers la fenêtre du rez-de-chaussée, on devine une chambre. On entre par un couloir étroit, jalonné d'étagères pour que le rangement soit drôle et pas moche, sorte d'inventaire à la Prévert de tous les accessoires et vêtements de la mer : chandails, casquettes, cirés et vareuses, bottes, paniers... La vie domestique est au premier étage : minicuisine dotée de toutes les astuces de fonctionnement jusqu'au plus petit angle perdu ; pièce à vivre, murs blancs et parquet vert foncé, agrandie d'une terrasse éclairée le soir par des gamelles industrielles qui tombent bas sur la table ; la chambre réduite à l'essentiel.

« J'aime participer à la vie du village, me promener à marée basse sur le rivage, converser avec les uns, déjeuner au café du coin, jouer à la pétanque avec les autres. Je viens toujours hors saison, l'été devient trop touristique », conclut-il.

Un espace étriqué, redécoupé en un lieu clair et ouvert sur les toits du village. La terrasse se transforme en pièce à vivre où jouer au backgammon imaginé par une main créative. Le mur de l'entrée regroupe le rangement utile aux activités de vacances. Pour capter le maximum de lumière, le salle de séjour est peinte en blanc.

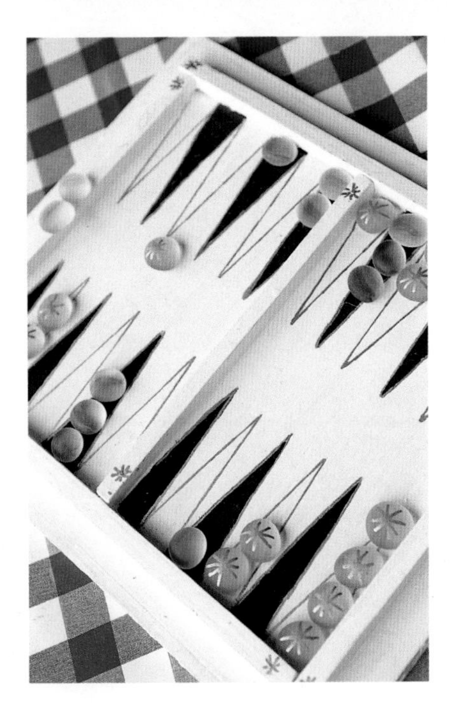

Le goût des vacances

La maison a été restaurée dans l'esprit de la tradition, meublée simplement et vécue comme une parenthèse ensoleillée dans le calendrier des vacances. Les canapés sont houssés de toile à rayures. Pas de décoration dévorante, juste des pièces faciles à vivre.

De chez eux, ils vont acheter les huîtres en longeant le perré, il n'y a que quelques mètres à faire pour atteindre le village, près de la pointe aux Chevaux. Ils voient les parqueurs sortir avec leur chaland, les esteys miroiter à marée basse, au loin l'île aux Oiseaux se dessiner à peine lorsque le ciel est barbouillé. À marée haute, ils entendent le clapotis de l'eau au bout de leur jardin.

Même si les temps changent, si les touristes affluent en août et si le Bassin se remplit de bateaux, ils ne boudent pas leur plaisir et passent une partie de l'été entre les joies de l'eau, les déjeuners sur la terrasse et la lecture dans le hamac. Ils ont raison. Leurs cabanes – il y en a deux sur leur terrain – sont un havre de calme.

L'une était le chai d'un ostréiculteur, l'autre sa maison. Bâtie sur le modèle arcachonnais, son toit est surmonté d'un pignon avec ferme apparente et l'auvent protège de la pluie, des coups de vent et de la chaleur. On passe de l'une à l'autre par le jardin comme dans un berceau verdoyant où poussent le rosier, l'arum et le jasmin. Réhabilitées en douceur, les habitations prouvent la réussite de cette gageure : agrandir l'espace et intégrer le confort là où il y avait petitesse et exiguïté sans pour autant augmenter la surface.

Quand on voit les murs en voliges, les couvre-joints et les volets authentiques, on se dit que rien, décidément, n'a changé. Se laissant guider par l'idée de vacances sans contraintes, la maison entrecroise les souvenirs, les cadeaux, les habitudes de chacun et, côté textile, les matières naturelles. Les chambres, claires, sont placées sous le double signe de la rayure, du bois et de la mer. Les objets glanés de brocantes en voyages en sont autant de messages affectueux… tout simplement.

Le climat doux en général permet de vivre sous l'auvent de l'ancien chai transformé en chambre d'amis, indépendante de la maison. Le lit fait face à la fenêtre pour mieux profiter de cette partie calme et authentique du Bassin.

L'imaginaire d'un collectionneur

Pas vraiment une cabane au sens propre du terme. Plutôt le « jardin secret « d'un esthète imaginatif, plus proche d'une singulière alchimie que du simple agrément. Elle a été construite à partir des matériaux d'une ancienne ferme landaise entièrement démontée – briques et bois –, puis remontée de façon anachronique avec de nouveaux volumes plus contemporains et des lignes sobres à angle droit.

L'habitation, invisible depuis le chemin, habillée de bois passé à l'huile de vidange, ne laisse pas présager ce qu'on va découvrir à l'intérieur. Le génie de la récupération diront certains en reconnaissant les soubassements en « bricou », nom donné aux briques noircies parce qu'elles ont trop chauffé au four. Villégiature de charme répondront les autres en citant le théâtre de l'insolite qu'invente le propriétaire tenaillé par la passion de l'objet. Qui aime par-dessus tout les univers vécus, abandonnés, nostalgiques.

En réalité, l'endroit est à la fois espace de vacances pour la famille et halte où se ressourcer après une vie urbaine. Sans doute aussi retrouver un peu de ses souvenirs d'enfance à Grand Piquey. Une cheminée en noyer du XIXe siècle, bijou rare dégotté en Italie, le lustre spectaculaire en plâtre blanc du casino d'Arcachon, une table, un bureau, un piano, une collection de vases ethniques ramenés d'Asie, des fauteuils fatigués et – cœur de l'ensemble – une bibliothèque géante en bois décapé, débordant de livres anciens chavirés en tous sens, expriment une lecture du monde onirique et sans préséance. Dense, légère.

À partir d'une ferme landaise démontée puis entièrement remontée avec des proportions nouvelles, la villa s'offre une silhouette contemporaine et une atmosphère viscontienne. Le volume de la pièce principale permet un décor éclectique et extravagant de mobilier chiné au hasard des coups de cœur. La bibliothèque (page de gauche) est l'ancienne vitrine d'un commerce bordelais.

Une case en forêt

La villa au passé récent n'avait aucune histoire et peu de charme. Mais elle était facile à réadapter et elle jouissait d'un agréable terrain. Beaucoup de modifications allaient être apportées avant de pouvoir venir s'y ressourcer. C'est ce que s'est dit le couple débarqué de Paris un jour de soleil ou de tempête, venu chercher le dépaysement de ce côté du Sud et y poser sa villégiature comme le reflet de ce qu'il aime : l'authenticité des maisons de pêcheurs et le charme des bâtisses coloniales. Le métissage fonctionnera avec le maître d'œuvre Guy Allemand, spécialiste du genre, qui mènera l'ouvrage tambour battant.

L'œil se fraie le passage entre les palmes et les pins avant de discerner la façade réaménagée dont le crépi d'origine a été masqué par un bardage de bois. On vit dedans-dehors comme dans une case créole, stores en fibres végétales mi-clos et fenêtres grandes ouvertes. Une lumière végétale caresse les terrasses qui sont des extensions de la maison avec leur salon d'été en red cedar ou en rotin. L'espace est placé sous le double signe de l'exotisme et de la tradition. Amoureux du passé, les propriétaires aiment aussi les meubles de métiers, les tables de drapiers, les fauteuils club, les années trente, les objets d'art populaire, les souvenirs de voyages. Lui se dit concerné par l'époque coloniale indo-anglo-saxonne et les années de Scott Fitzgerald à Long Island. Elle collectionne le linge de maison brodé, les étoffes, la vaisselle ancienne, les vanneries de toutes formes. Chineurs et collectionneurs passionnés, ils ratissent les Puces, les déballages de brocante et les dépôts d'Emmaüs. Leurs affinités complémentaires inspirées par le passé s'assemblent jusque dans les moindres détails.

Avec sa façade en lattes de bois, sa terrasse ombragée par des stores en fibres végétales et sa banquette garnie d'oreillers, cette villa ressemble à une maison coloniale, fraîche et chaleureuse. Dans toutes les pièces, une même harmonie de bois et de beige éclairés par le blanc.

ESPRIT DE FAMILLE

4 ESPRIT DE FAMILLE

Haut lieu de villégiature et de repos, la ville d'Arcachon évoque les riches heures mondaines du passé à travers un catalogue diversifié d'architectures qui s'inspirent du néoclassique très prisé sur la Côte d'Azur, du néo-gothique et du style chalet suisse ou tropical. La Villa Saint-Yves *(page de droite), joyau de la côte arcachonnaise, met en scène belvédère, tourelle, avant-corps, vérandas et balcon en une asymétrie typique de la mode balnéaire de l'époque.*

Elles sont des douairières imperturbables intégrées à la vie moderne, ces maisons de famille. Les romans d'un passé qui a échappé à la boulimie immobilière des dernières décennies. Monumentale ou discrète, leur présence évoque avec une légèreté propre au génie de la plaisance une époque euphorique qui les a fait naître. Et si parfois elles ont changé de maître et de mode de vie, jamais leur âme ne s'est trahie. Même s'il règne aujourd'hui autour de ces villas une sorte de silence – ce qui ne fut pas toujours le cas – tout un paysage en raccourcis et en flash-back se dévide sous nos yeux.

La *Villa Saint-Yves* à Arcachon n'oublie pas qu'elle fut la propriété du prince de Broglie-Revel. Lorsqu'il l'achète au baron Sambucy de Sorgue en 1904, c'est un « chalet » construit en même temps que ceux de la ville d'hiver. Celui-ci, situé en front de mer dans la ville d'été, jouit d'une vue imprenable. Le prince tombe amoureux. Il fait appel à l'architecte Arnaudin qui rase la construction et bâtit une villa contemporaine, conçue à la pointe du confort. Elle est si élégante dans son asymétrie que le journal *L'Avenir d'Arcachon* commente la construction en ces termes élogieux : « Modèle de luxe, de grâce artistique et de modernisme parisien. » Le prince y donne de grandes réceptions. Hélas, quelques revers de fortune l'obligeront à passer l'annonce suivante : « À vendre magnifique villa. Confort princier. Décorée grand prix de Rome. Le plus bel emplacement. Centre idéal. Canotage. Pêche. Mouillage yacht. Séjour de rêve enchanteur. Prix intéressant »... ainsi s'éteignent parfois les splendeurs du passé. Mais *Saint-Yves,* impeccablement entretenue comme à l'origine, poursuit son destin familial tout en ayant changé de mains.

Ces maisons du littoral ont une large terrasse plantée de tamaris, prolongée d'un escalier qui s'allonge sur la plage. On y trouve la mer sans sortir de chez soi. Les premières sont apparues dans les années de la Restauration. Les architectes avaient bâti pour les premiers « colons d'Arcachon » des villas de style tropical ou d'un classicisme romantique très en vue à Londres et à Philadelphie. Ce rêve de Paul et Virginie dans le jardin de Pamplemousse s'est épanoui sous le second Empire. Les commanditaires, souvent des Bordelais épris de voile, aimaient ces beaux emprunts. Ainsi assistait-on à la vogue des varangues où coulaient sous les colonnes un je ne sais quel air ramené de Louisiane, de l'île Maurice ou des Antilles. Mais comme si le vent et la mer s'étaient soulevés sous le cyclone

MARGUERITE

NITOUCHE

LE MOULIN

FANTAISIE

LA
JOCONDE

immobilier en plein XXe siècle, beaucoup ont disparu sous les claques des bulldozers. La *Villa Salesse,* indifférente aux deux barres d'immeubles qui la jouxtent, s'épanouit avec nonchalance devant le Bassin. Il y a dans cette habitation une magie que le temps n'altère pas, l'alliage perpétuel du passé avec le présent. Elle accueillit Dalí à la veille de la déclaration de guerre. Il vécut là avec Gala pendant l'année 1939 et y installa son atelier. Composa une toile où la dune du Pilat surplombe le village de son enfance : Cadaqués. Reçut la visite de Coco Chanel et commenta dans son journal les dîners avec le propriétaire : « Le plus grand bavard du monde entier… jusqu'à présent j'avais considéré que c'était elle [Coco] la plus grande bavarde. » Le maître de maison, qui contait à merveille ses aventures d'Afrique, choisissait avec adresse « des sujets sur lesquels Chanel perdait pied, les termites par exemple ». Mais les soirées si gaies furent assombries par la guerre qui avait éclaté et le couple dut quitter la jolie maison « créole » de la famille bordelaise.

Au temps où cette villa fut construite – dans les années 1850 –, Arcachon comptait peu de choses : des cabanes de résiniers et des maisons de pêcheurs, deux établissements de bains pour les Bordelais qui venaient goûter aux balbutiements de la thalassothérapie, une ville basse avec des petits commerçants, quelques hôtels et pensions de famille, des miniatures dentelées où loge peu de monde, et vers la mer déjà des remarquables constructions. Sur la dune sableuse : les pins. Jusqu'au jour où deux docteurs bordelais virent dans cet ensemble de forêts l'étoffe d'une station médicale sans précédent. La théorie des baumes résineux faisait sensation non seulement dans le monde médical français mais aussi un peu partout de Copenhague jusqu'en Floride où les praticiens les plus réputés recommandaient comme salutaires et fortifiantes les vertus de la térébenthine. La forêt d'Arcachon offrant ses émanations résineuses et participant à la fois de l'Océan iodé et du climat tempéré résumait aux yeux de tous une formidable « manne » médicale… La phtisie avait enfin trouvé son antidote. Il suffisait de rentabiliser cette opportunité, séduire Paris et pourquoi pas l'Europe. Les frères Péreire, dont la courageuse impulsion avait déjà transformé vingt mille hectares de landes et fondé des usines, saisirent l'enjeu. Banquiers parisiens d'origine bordelaise, acquis aux idées saint-simoniennes, ils étaient propriétaires de la Compagnie des chemins de fer du Midi qui assurait la ligne Paris-Bordeaux. En inaugurant dès 1857 la ligne Bordeaux-Arcachon, ils ouvrent la petite ville à la modernité. L'idée d'implanter une « ville de cure en forêt », en attirant les malades fortunés pendant l'hiver, ne fera qu'amplifier les bénéfices de la Compagnie et la renommée des banquiers. Tout le monde y sera gagnant. Émile Péreire se porte acquéreur de cent hectares dans le but de bâtir un lotissement huppé de maisons pittoresques à louer pour les malades et leur infirmière. En quelques mois, la succession de dunes sans chemins, déserte d'hommes mais largement peuplée de grands pins, d'arbousiers plantureux, de chênes verts et de fougères odorantes se transforme en un élégant quartier dessiné de rues pentues et sinueuses qui bifurqueront bientôt sur le casino mauresque, de nos jours disparu. Pour dresser les plans de la ville d'hiver, Émile Péreire fait appel à l'ingénieur des Ponts et Chaussées Paul Régnauld et le nomme architecte en chef du chantier. Celui-ci conçoit un urbanisme adapté à la topologie du site : la passerelle Saint-Paul, trait d'union entre deux dunes ainsi que l'observatoire Sainte-Cécile dont l'escalier métallique en spirale – un bijou de légèreté digne d'une exposition universelle – offre à qui n'a pas le vertige une vue panoramique à trois cent soixante degrés.

Face à cette embellie qui attire de plus en plus de monde, la ville d'hiver s'épanouit. L'irrégularité du terrain sert à souhait les architectes. Ils construisent les maisons en suivant les courbes des dunes, des pentes et des clairières, en évitant de couper les arbres selon les préconisations des médecins qui souhaitent que

Dissimulé dans la verdure, le chalet arcachonnais emprunte son style hybride à tous les paradis tropicaux de la planète. L'utilisation intensive des bois découpés pour les fermes, les lambrequins et les balcons est favorisée par la mécanisation des fabriques de la région. Certains sont si finement découpés qu'on les compare à des « architectures de papier ». Le nom des maisons marque leur époque.

Plus ou moins spacieuses, les villas de type arcachonnais ont en commun une toiture à grand débord selon la tradition landaise, une façade en briques, des éléments de bois découpés autour de la charpente, une ferme apparente souvent ouvragée, des bow-windows et de multiples balcons qui animent les façades.

l'odeur balsamique des pins remplisse chaque habitation. Ainsi est né le style « chalet », des jolies villas à pans de bois et remplissages de briques, inspiration heureuse de l'habitat suisse selon le modèle somptueux que fait construire Péreire pour son usage personnel.

La gestion des locations s'avérant lourde à assumer par la société d'Émile Péreire, les chalets sont rachetés par les particuliers et transformés en maisons de plaisance. À leur silhouette initiale, on ajoute quelques éléments architecturaux et décoratifs : des bow-windows, des lambrequins, des épis de faîtage et des girouettes. D'autres se construisent sur les terrains encore disponibles dans le style Louis XIII ou néogothique qui sacrifie au goût pour l'anglomanie. L'époque aime aussi faire référence à la Renaissance italienne, au classicisme français ou à l'orientalisme. Elles prennent de beaux noms inscrits sur leur pignon, de *Florecita* à *Schéhérazade,* comme des titres d'opérette sous un océan de verdure, parfois gonflés de références littéraires. Si la *Villa Alexandre Dumas* n'a jamais vu passer l'écrivain, quoi qu'en dise la légende, son architecture à encorbellement et son belvédère, ses boutons de fleurs en terre cuite moulée et les briques vernissées qui la décorent, elle n'en reste pas moins aussi romanesque que son œuvre.

La vue depuis ce belvédère montre un semis de toits dans une nature plantureuse et aimante. On peut s'imaginer ce qu'elle était en 1890. Le pin, le bouleau, l'eucalyptus, le palmier, le magnolia, le cèdre poussaient côte à côte. Et on devinait des jardins pimpants où le style anglo-indien était à la fête pendant que résonnaient les chasses à courre dans la forêt. La vie mondaine était particulièrement brillante. Elle attirait une foule d'aristocrates, de gens de la haute société et des écrivains célèbres. Le couple impérial qui avait été reçu par la maréchale de Saint-Arnaud à la *Villa Alma* ne reviendra plus ; Manet ne peindra plus *Intérieur d'Arcachon* en 1871 ; Debussy ne séjournera plus *Villa Marguerite.* Il n'empêche, ces noms continuent à hanter la station.

La villa Madeleine (ci-contre), accueillit un invité de marque, l'ingénieur Gustave Eiffel. Bâtie avec un soubassement de pierres et des murs de briques, elle adopte le vocabulaire architectonique des maisons arcachonnaises, de même que La Chênaie, charmante villégiature. Elles s'agrémentent d'un pignon et d'une véranda suffisamment large pour s'y reposer à l'ombre.

De même, Gabriele D'Annunzio a marqué le *Chalet Saint-Dominique* au Moulleau, village plus sauvage habité de cabanes. Le montant de ses dettes avait contraint le poète à quitter l'Italie et sa demeure *La Capponcina* pour un exil volontaire de cinq ans. Avec son sens inné du décor, il fait fabriquer le mobilier par un ébéniste local et mène la vie qui a toujours été la sienne : une alternance de mondanités, de compagnies féminines et de grande solitude.
Puis il quittera la maison, laissant des dettes derrière lui…

Dans l'inventaire de toutes ces ravissantes architectures, il ne faut pas oublier celles que l'on bâtit, en face, sur la presqu'île, surnommée « le bout du monde » et « l'Afrique ». Les matériaux de construction arrivent de La Teste par voie maritime, faute de route.
Les bourgeois bohèmes, las de l'urbanisation d'Arcachon et de tout ce qui s'y passe, rejoignent ce bout d'éden.
On voit apparaître des constructions sorties de l'imaginaire colonial qui inspire artistes, voyageurs et mécènes.
À L'Herbe, la *Villa Algérienne* surgit d'un écrin de végétation exotique, tel un mirage au bord de l'eau. Elle appartient à Léon Lesca, homme du Bassin, un de ces colons aux guêtres blanches que son poste d'entrepreneur de travaux publics avait amené sur le port d'Alger pour construire les quais et, dans cette grande virée, la ligne de chemins de fer Constantinople-Philippeville. De retour au pays, il s'associe avec son frère Frédéric pour acheter aux enchères une immensité d'hectares improductifs dont l'État veut se débarrasser. Face à la solitude du Bassin, à l'horizontalité du paysage, Lesca fait construire dans l'esprit mauresque la *Villa Algérienne*. Sans doute retrouve-t-il dans « son » désert français les émotions qui l'avaient marqué quelques années auparavant dans le Maghreb.
On est en 1866. Les photos de l'époque montrent un palais digne des *Mille et Une Nuits*, des jardins idylliques avec des bassins, un pont, une grotte, des fleurs. Faire pousser yuccas et mimosas, qui n'avaient jamais connu la région, tient du tour de force mais ce défi à la nature fait aujourd'hui fleurir des forêts de mimosas et grandir les yuccas dans les jardins. Et puis ce seigneur des sables n'en est pas à un tour de force près. Il achète encore des terrains qui lui avaient échappé et en fait profiter les siens et ses amis privilégiés. C'est le cas de la *Villa Madeleine*, sur la dune du Boque. Dessinée dans le style arcachonnais, elle accueillit à plusieurs reprises Gustave Eiffel qui laissa en remerciements une longue-vue magnifique. Mais les parts d'héritage dans les familles ressemblent parfois à un écheveau emmêlé et cent ans après sa construction la magnifique *Villa Algérienne* fut détruite pour être remplacée par un immeuble moderne.

Les temps changent dans les années trente. Le style balnéaire prend de plus en plus le pas sur la station « médicale ». Dorénavant, on construit en bord de Bassin pour mieux profiter des plaisirs de l'eau. Lancée par Hubert de Monbrison qui en fut le précurseur, la dernière idée à la mode est le style néorégionaliste qui arbore le caractère solide et trapu de la ferme basque et landaise.

La modernité arrive de la capitale à la fin des années vingt avec l'architecte Roger-Henri Expert, un Bordelais, professeur à l'École des beaux-arts de Paris.
Dans le milieu, il est catalogué comme un moderne-classique, élégant et précieux. En 1931, il est chargé des féeries lumineuses de l'Exposition coloniale et poursuivra en 1937 avec l'Exposition universelle.
On parlera de lui lors de la construction du paquebot *Normandie* dont il est chargé d'aménager l'étage du pont-promenade. Son style plaît à la bourgeoisie qui boude le radicalisme de Mies Van Der Rohe et n'apprécie guère les entassements cubistes du Corbusier. Malgré son attrait pour les formes nouvelles, elle n'adhère pas davantage aux audaces que le vicomte de Noailles ose sur la Côte d'Azur. Les lignes de l'Art déco atteignent les rivages du Bassin où le jeune Expert est appelé à construire cinq maisons à Arcachon dont *Kypris* et sa voisine *Téthys*, en front de mer, où le monumental s'exprime en péristyle et hautes ouvertures dans un vocabulaire qui intègre le répertoire régionaliste.

Toute blanche et pimpante, la Villa Salesse, *à Arcachon, a été construite selon le plan des maisons coloniales des Caraïbes, avec varangue et colonnes fines en bois. La cuisine placée dans un bâtiment indépendant communique avec les pièces nobles par une galerie abritée. Salvador Dalí et Gala y séjournèrent quelques mois avant la déclaration de guerre en 1939.*

Tradition basque

« On ne bâtit pas à Pyla, on se blottit », écrivait La Gautraie dont la région servait de décor aux romans. « Il y a de la clarté, poursuivait-il, de la joie, de l'air pur, du soleil pour tout le monde. Les plantes et les oiseaux ont quitté le paradis pour fonder une colonie terrestre édénique dans ce parc d'amour. » C'est dans ce paradis qu'Hubert de Monbrison, un jour de 1927, fait construire *Guilharria* sur ce pan d'océan. Une bâtisse imposante de style basque dont les pierres qui bordent la propriété arrivent de la Rhune. Un arbre géant abattu dans une forêt de l'Allier, amené jusqu'ici par un attelage de plusieurs chevaux, est fiché dans le sol. Toute sa puissance verticale semble tenir l'édifice. La vie s'écoule heureuse et sans mise en scène compliquée, l'Océan étant le spectacle permanent. Tout ce qui se passe ici a un côté festif, familial et sportif. On se réunit nombreux, entre cousins et amis, la maison est suffisamment grande pour accueillir tout le monde.
Les voisins sont des amis, les Rothschild, qui viennent de faire construire ; grâce à eux, la route est arrivée jusqu'ici. Tout est prétexte à divertissement. Le 15 août par exemple, anniversaire du maître de maison, le dessert traditionnel laisse à tous en mémoire un souvenir aussi impérissable que la madeleine de Proust: un saladier de mûres, cueillies dans la forêt et accompagnées de crème. Un autre jour, les garçons aînés s'entraînent sur leur Loup pour les prochaines régates auxquelles on assiste depuis le perré. Le reste du temps, on fait une sortie en pinasse, noir et bleu, la plus élégante du Bassin; on monte à cheval, ce qui est la moindre des choses quand on dirige l'équipe de France de polo. Il y a aussi une serre dont s'occupe un jardinier aux mains vertes. Avec le temps, le nombre d'hectares a été grignoté, les lourds héritages survivent parfois à ce prix-là. Mais reste cet air de légèreté particulier, signe indélébile de *Guilharria* qui a changé de famille depuis quelques années. En respectant l'esprit des murs et le vécu de la maison, les plaisirs des vacances se perpétuent même s'ils sont rattrapés par la vie contemporaine.

La première villa basque du Pyla a fait école autour de la dune, mais jamais aucune autre ne fut aussi majestueuse.

Hubert de Monbrison, bâtisseur dans l'âme, en avait conçu l'architecture. Les portes anciennes ont été trouvées dans le pays Basque. L'intérieur, où apparaissent des notes d'art contemporain, a conservé son esprit d'origine et son mobilier d'époque.

Les années trente

Avec cette naïade de la plus belle eau, le style monumental des années trente s'installe sur le Bassin. Comment décrire ce grand vaisseau blanc sculptural commandé en 1927 par un homme aux idées novatrices, Georges Droin, à l'architecte Roger-Henri Expert qui fera parler de lui par sa prestation sur le paquebot *Normandie* ? Comme le rêve d'une certaine manière de vivre dans un immense espace et un décor qui définit le style français de cette partie du XXe siècle. En d'autres termes, la présence d'un certain conservatisme dans la nouvelle modernité. Son architecture se refuse à la fois au bavardage Art déco et à une trop stricte abstraction des formes. Telle l'entrée d'un palace, on traverse les pergolas à l'italienne sous l'écran de verdure du jardin. On entre dans le salon hors d'échelle, cent soixante mètres carrés et plus de six mètres sous plafond porté par quatre colonnes rondes. Les portes-fenêtres en rotonde, ruisselantes de lumière, cadrent le paysage marin qui s'étale au pied de la terrasse comme un imposant travelling des yeux. On se croirait dans un décor de cinéma et on attendrait presque la comédienne Annabella qui avait acheté une résidence à quelques centaines de mètres. Mais ne cherchons pas dans *Téthys* l'image mondaine qu'elle ne voulait peut-être pas donner. On ne saura d'ailleurs jamais si l'architecte lui avait dessiné des meubles et si une collection d'œuvres en tapissait les murs. Après tout, l'atmosphère de ce « château » n'est guère différente de celle d'une villégiature pour famille nombreuse qui se partage aujourd'hui les mètres carrés, gardienne et toujours actrice de cet héritage culturel classé par les Bâtiments de France.

Construite par l'architecte Roger-Henri Expert, la majestueuse villa Téthys *marque le goût des années trente pour la monumentalité. Le salon en demi-rotonde occupe le point focal de la composition. À l'extérieur, le péristyle est agrémenté de colonnes à chapiteau ionique.*

Villa Simonoï

Elle n'a rien d'historique ni de spectaculaire. Elle joue le bien-être du moment. C'est une maison de famille qui s'ouvre chaque week-end pour le plaisir, pour le repos et pour les heures vraies. Construite dans les années vingt, elle fut très vite agrandie d'une pièce supplémentaire qui servit de chambre et d'une véranda vitrée inondée de lumière. C'est le meilleur endroit pour ranger les plantes en hiver, les bottes, les cirés et les cannes à pêche. La cage d'escalier qui monte aux chambres sert de colonne vertébrale à l'habitation exiguë mais chaleureuse. Les meubles ont une valeur sentimentale et ils entretiennent le souvenir des arrière-grands-parents. La nouvelle génération apporte ses idées et sa fantaisie. Les mains bricoleuses et douées récupèrent, décapent et cousent, associent savoureusement la toile de Jouy avec les rayures, les carreaux avec les fleurs. Toujours avec une remarquable économie de moyens et beaucoup de gaieté. Les choses s'accumulent, vivent, changent de place. Les soirs d'été, dans le jardin noir de verdure, on dîne à la lueur des photophores. Les arbres abritent avec douceur ce havre de paix, été comme hiver, qui était à l'origine la première agence immobilière ouverte au Moulleau. L'enseigne conservée au sous-sol en fait foi.

Dans son univers douillet tout bois et tout textile, la maison transmet le ton charmant du « cousu main ». Sous chaque objet se cache un sentiment ou un souvenir de famille; la chambre rassemble une collection éclectique de marines et de paysages chinés dans les brocantes. La véranda, lieu de transition ensoleillé entre le salon et le jardin, tient lieu de serre en hiver.

Matériaux modernes au service du pittoresque : les balustres sont en ciment armé. Le salon fait de la lumière du jour une priorité. Le sol est en mosaïque au graphisme délié dans les tons de bleu et jaune.

Souvenirs d'outre-mer

Un nom banal et modeste qui pourrait évoquer un logis rural mais assurément une curiosité dans cette partie solitaire du Cap-Ferret: *La Chaumière* se présente comme une case africaine ronde, toit de chaume et balcon en péristyle, telle une esquisse pour une exposition coloniale au début du XXe siècle.

On raconte que la villa a été construite pour un colon bordelais ayant fait fortune en Afrique dans le négoce des bois exotiques. Celui-ci se serait-il inspiré du Théâtre San Carlino, érigé quelque temps auparavant en plein air dans le parc mauresque d'Arcachon? Rotonde, double toiture et balustres en ciment armé évoquent ce théâtre. Plus sûrement, le paysage rappelant les souvenirs d'outre-mer et la mode de l'Art nouveau inondant l'Europe firent s'épanouir une curieuse architecture hybride, sorte de synthèse entre l'académisme décoratif des années vingt et le pittoresque exotique. À l'intérieur, le mobilier d'origine a disparu. Le reste, qui ne ressemble à rien de ce qu'on s'attendrait à trouver dans une case primitive, adopte le style Majorelle qui fait fleurir les courbes de la nature sur les poignées des portes et marque l'ensemble de la maison.

Dans cette recherche d'atmosphère naturelle, l'ornementation florale a sculpté des pommes de pin sur les poignées des portes. Les chambres délaissent les courbes pour des lignes simples et claires.

Évasion romanesque

Qu'importe si l'histoire se mélange à la légende pourvu qu'elle soit belle. Elle commence à la fin du XIXe siècle avec des Anglais qui font construire une maison de style colonial comme on en trouve aux Antilles. Des murs en pitchpin, des terrasses aménagées pour paresser, un large balcon à l'étage et un grand jardin. Elle vécut, sans en pâtir, au rythme d'autres propriétaires. L'un d'entre eux la baptisa *Les Pêcheurs* en hommage à ceux qui, chaque matin, partaient en pinasse devant la maison. Et puis, n'était-on pas à Cap-Ferret, village de pêcheurs ? Quelque soixante ans plus tard, Jean Anouilh, en visite chez son ami Marcel Aymé qui résidait non loin, succombait à l'esprit du lieu. L'auteur d'*Antigone*, de *Colombe* et de *L'Alouette* était un homme discret. Il trouvait dans ce paysage vierge qu'il arpentait tôt le matin matière à nourrir ses pensées de solitaire et d'écrivain. Peut-être aussi affirmait-il ses racines bordelaises ? Et retrouvait-il ses souvenirs de vacances passées à Arcachon où il avait découvert tout jeune le théâtre ? On le voyait peu, mais l'homme secret aimait s'isoler. La villa était consacrée aux enfants, parfois ouverte aux intimes. De nos jours, remise en état, plus belle que jamais, elle éclate d'une blancheur toute coloniale. Et s'épanouit dans une oasis luxuriante, caressée au moindre air marin par deux palmiers qui montent la garde côté Bassin. Quand les vents et l'Océan se lèvent, châtiment des équinoxes, les branches se gonflent rebelles, les vagues frappent le perré… et la bâtisse résiste au temps.

La construction entièrement en bois est un joli métissage du type arcachonnais et de la maison coloniale. Terrasse et balcon offrent la liberté de la vie balnéaire. Les communs ont été transformés en chambre d'amis. Il est bon de faire la sieste dans les hamacs, bercé par les parfums du jasmin.

L'aménagement intérieur a épousé l'esprit de la maison, même si le décor était à l'origine différent. Dans l'entrée est installé le billard. Au rez-de-chaussée, la bibliothèque, le salon et la salle à manger sont placés en enfilade, à peine séparés par des portes vitrées qui coulissent dans le mur (double page suivante). Ouvertes, elles agrandissent la perspective des pièces, dorées par la blondeur du bois, emmitouflées dans les canapés. Impression renforcée le soir, lorsqu'on allume les bougies et que le feu crépite dans la cheminée.

À la rencontre du passé

Parmi les villas historiques, *Saint-Arnaud* ne manque pas de panache. Elle porte le nom du maréchal d'Empire qui se vit confier le commandement de l'armée d'Orient. Il remporta la victoire de l'Alma en Crimée puis mourut peu de temps après du choléra contracté pendant le siège de Sébastopol. La maréchale esquissait alors un autre cadre de vie. Elle choisit de faire construire à Arcachon sur la butte la plus haute de la ville d'hiver dominant l'Océan l'une des plus jolies maisons, parée de vérandas vitrées ornées de bois travaillé. Passaient dans cet univers enchanteur des hommes de lettres, des poètes, des amis parisiens avec lesquels elle se plaisait à bousculer un peu les habitudes. Chez elle, on était sûr d'y rencontrer des personnes remarquables. Suite d'une longue histoire familiale commencée il y a plus de cent ans, *Saint-Arnaud* résonne chaque été des notes joyeuses d'une musique de vacances insouciantes, toutes générations réunies, où les nombreux enfants partagent les chambres entre cousins. La vie se règle à l'heure des bains de mer, des sorties en bateau et des dîners qui alignent un nombre extravagant de chaises dans la salle à manger. Les conversations s'aventurent parfois sur les pas de souvenirs : l'âge d'or des régates d'Arcachon auxquelles participait la jeune génération et, pour les grands, la sacro-sainte heure de l'apéritif devant un Alexandra chez Foulon où les femmes étaient vêtues de jolies robes seyantes et où les hommes qui les accompagnaient arboraient le traditionnel pantalon de flanelle rouge des pêcheurs.

La maison qui réunit chaque été la famille a conservé son souffle intérieur. Cela explique sa charmante magie, le chintz fleuri un peu fané, la toile de Jouy romantique, le mobilier peint en gris perle dans les chambres.

Simplicité arcachonnaise

À l'origine, *La Bretagne* était un chalet locatif, de ceux que construisait Émile Péreire en 1864 sur les cent hectares qu'il avait achetés pour créer la ville d'hiver. Elle a vécu sous différents maîtres amoureux d'elle qui lui ont épargné les outrages du temps par quelques menus accommodements intérieurs. En arpentant les rues, le flâneur qui n'en finit pas de marcher dans les songes du passé la découvre réaménagée et gracieuse, à l'ombre d'un chêne qui a grandi avec elle. Coquette dans son jardin fleuri de jasmin, d'hortensias et d'impatientes blanches, elle donne l'impression que rien n'a changé depuis des lustres.

La large véranda fait bandeau au rez-de-chaussée, la façade est de style arcachonnais, chaque croisée donne sur le balcon à dentelles et une frise pittoresque festonne l'auvent. On dirait du cousu main. Les rayons de soleil qui traversent la véranda ouvrent dans l'ombre des raies pailletées d'or. On devine, à l'intérieur, un charme qui tient à la rencontre du passé et du présent.

L'espace a respecté la structure et les éléments de l'époque, mais les pièces ont été adaptées à un mode de vie plus contemporain. Avant tout, *La Bretagne* est un refuge de famille, à partager avec des amis. C'est ce qui lui conserve sa beauté.

On dit que les noms bretons ont été laissés par des familles arrivées ici pour tenter fortune dans la pêche à la sardine. La Bretagne, *restaurée par l'architecte d'intérieur Philippe Landelle, a su associer un décor blanc et contemporain à l'architecture du XIX*[e] *laissée intacte. Les boiseries de la véranda, le carrelage et la rampe d'escalier sont restés en l'état.*

Les vaches rappellent que Ruat fut aussi un domaine agricole. D'une pièce à l'autre, les siècles et l'histoire ont façonné l'esprit du château, plusieurs fois restauré, où chacun a laissé un peu de sa mémoire. Même si on ne chasse plus sur les terres du château, les trophées de la cage d'escalier gardent toute leur noblesse.

Rendez-vous avec l'histoire

L'histoire du château de Ruat se confond avec celle des seigneurs du pays de Buch. Le plus célèbre d'entre eux fut au XIVe siècle Jean III de Grailly, adversaire de Du Guesclin… Après quelques tours emmêlés de successions et d'héritages qui dureront trois siècles, la seigneurie échouera dans l'escarcelle de la famille Amanieu de Ruat qui élit résidence dans le château. Comme ils auraient pu être heureux si le monde n'était pas fait pour changer, eux qui créèrent des viviers à poissons, des prairies pour le bétail, des champs pour les céréales et des forêts pour retenir les dunes ! Mais la forêt brûla, les conflits se succédèrent et la population rédigea le cahier de doléances ; la Révolution mit fin aux droits féodaux sans déposséder le seigneur de ses droits immobiliers. Le château fut vendu, il changea de destinée avec un autre arbre généalogique prestigieux formé de généraux. C'est une des descendantes qui y habite aujourd'hui. D'une pièce à l'autre, Ruat a gardé depuis plusieurs siècles le charme des lieux où chaque génération apporte ses aménagements et ses goûts. On a reconstruit sa tour, ouvert quelques fenêtres, conservé la lourde porte d'origine. À l'intérieur, les grandes pièces se succèdent en enfilade. Proportions d'époque, murs fanés, étoffes vieillies… l'ombre des souvenirs se transmet de portraits d'ancêtres en mobilier, de livres en bibelots, restés là par habitude ou fidélité.

Les chambres éclairées de tons pastel ont adopté sans a priori le style des papiers peints du XXe. La cuisine a conservé son buffet XVIIIe et la lourde table mais les dîners se passent dans la salle à manger attenante.

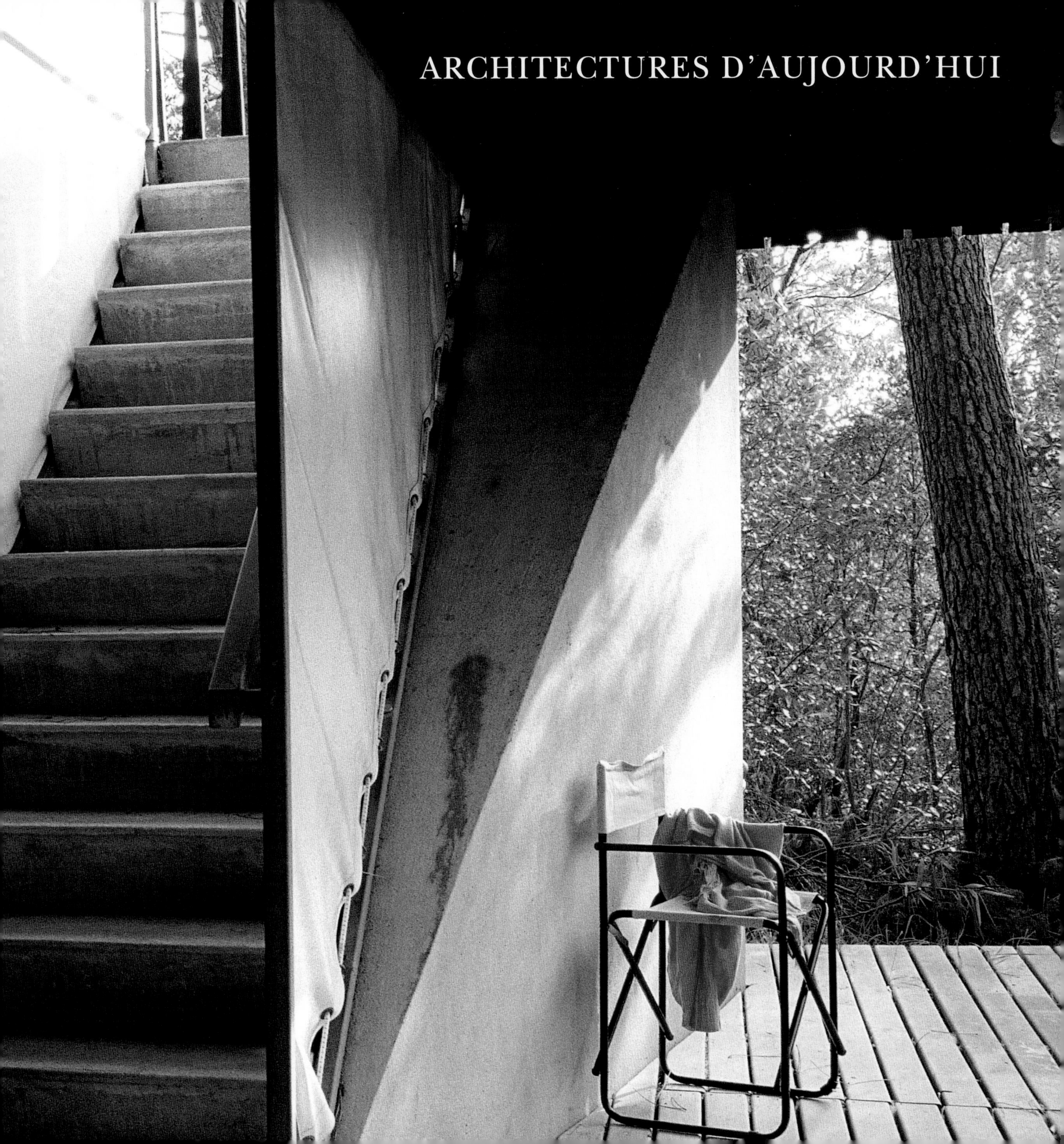

ARCHITECTURES D'AUJOURD'HUI

5

ARCHITECTURES D'AUJOURD'HUI

Conçue par Jeanne Lacaton et Jean-Philippe Vassal, la maison dans les arbres en acier galvanisé, posée sur pilotis, est mise en équilibre sur une plate-forme de 200 m². Des arbres la traversent pour une totale osmose avec le paysage. Dans cette nouvelle version de cabane, la maison transformable de Raphaëlle Hondelatte (double page précédente) offre le même goût d'évasion.

Dès les années soixante, le Bassin, qui était jusqu'alors la destination bohème de quelques initiés amoureux de simplicité, attire un plus grand nombre de familles bordelaises. La beauté particulière de la région, sa nature sauvage et empreinte d'exotisme constituent autant d'appels pour se dépayser. Délaissant le costume cravate et l'horizon urbain pour la vareuse et le pique-nique sur le sable, on se précipite aux vacances scolaires vers ce bout du monde si proche de Bordeaux pour respirer un bol d'air. Les mètres carrés achetés pour une somme encore modique ou hérités de parents visionnaires qui avaient décelé bien avant les autres l'attrait de cette lande secrète sont l'occasion de faire construire. En front de Bassin ou sur la hauteur des dunes, au-delà de la frange gérée par le Domaine maritime, de façon à « s'approprier » la vue exceptionnelle qui à chaque mètre se différencie de l'autre. Un kaléidoscope incroyable d'images aussi parfaites que des cartes postales se déploie et se transforme à chaque instant. « Venez à la maison, nous avons une très jolie vue du Bassin », est sûrement la phrase amicale la plus usitée. En réalité, il y a autant de degrés, d'angles, d'axes et d'implantations que de points de vue et encore davantage de lumières mouvantes que d'heures dans un jour pour régaler les yeux. Sortilège rare, ces horizons multiples qui s'intègrent dans les maisons sont un véritable art de vivre.

Au-delà des constructions réfugiées dans le passé, un microcosme d'esprits novateurs embrassent le courant de la modernité. L'époque est optimiste. Tout va plus vite, les rêves divergent. La tradition girondine des maisons patrimoniales enfermée dans le formalisme apparaît dans ces eaux sablonneuses tout à coup désuète. Histoire de génération. En ces années plus vives que jamais, on a envie de quelque chose d'ultracontemporain où l'espace bâti permet aussi un mode de vie en plein air. Le retour au paysage crée le désir d'embrasser chez soi la nature environnante. Une équipe d'architectes bordelais, en rupture avec le milieu architectural traditionnel, adopte les idées avant-gardistes qui circulent sur la côte Ouest des États-Unis après la Seconde Guerre mondiale et les adapte à la région : Adrien Courtois, Pierre Lajus, Michel Sadirac et le cadet Patrick Fouquet rassemblés autour d'Yves Salier, leader du groupe. Leur collaboration débute dans un petit atelier de la rue de Lyon à Bordeaux où ils se retrouvent à gratter autour de trois tables avant de déménager dans des locaux sur-mesure lorsque le bureau atteint

Inspirée des villégiatures de Key West mais traduite avec un esprit contemporain, cette maison des sables est conçue en bois. Un escalier intérieur dessert les trois niveaux assortis de larges terrasses qui dominent l'Océan et captent les flamboyants couchers de soleil.

sa pleine expansion. Animés par un esprit commun qui s'étendra sur deux décennies, ils imposent un style reconnaissable entre tous qui marque l'évolution de l'habitat individuel autour du Bassin. Leur inspiration puise du côté de la Californie où Richard Neutra conçoit des villas au toit-terrasse, aux formes extrêmement légères. Ce n'est pas un hasard. D'une part, le paysage aquitain se prête à l'expérimentation d'une architecture nouvelle. D'autre part, le vocabulaire adopté par l'agence bordelaise – plans articulés, angles droits et transparence – évoque une sensibilité commune avec l'œuvre de l'Américain. La cohabitation technologie et esthétique marque aussi l'attachement porté à l'œuvre du Corbusier, de Mies Van der Rohe, ou à la « maison dans la prairie » de Frank Lloyd Wright. Appliquant quelques-uns des principes de cette dernière sur la corniche du Pilat, Salier et Lajus construisent en 1967 la *Villa Gineste*. Le bâtiment exprime le désir de liberté, de confort et de plaisir. « Quand une maison a ces trois qualités, on a forcément le meilleur de ce monde », devait penser le propriétaire en englobant le point de vue unique dont jouit le terrain et qui avait été le déclencheur du projet. Le bâtiment surplombant la mer de quelques jets de sable semble avaler l'horizon. La lumière coule limpide dans ce monochrome blanc immaculé sans différencier intérieur et extérieur. Abasourdis par tant de modernité, d'autres commanditaires épouseront ce nouveau courant.

La *Maison Février*, par exemple. Signée une fois de plus Salier, elle anticipait sur les formes et les matériaux. D'emblée, la critique locale ne fut pas tendre, qui n'y voyait aucun rappel au régionalisme, au point de l'avoir surnommée le « blockhaus », en référence à ceux que l'armée allemande avait laissés sur la plage océane. En fait, il s'agissait de laisser s'exprimer par eux-mêmes le sol en cailloux lavés et les murs en béton dans un style dépouillé, association raffinée du naturel et de l'industriel dont les différentes nuances de gris évitent l'uniformité. L'austérité de l'ensemble ne tolère aucun décor superflu mais elle s'adoucit d'une force calme, celle de l'eau et des pins alentour.

L'homme aime planer, mais il ne peut se passer de ses racines. Face au style néorégional qui poussait un peu partout sous une fausse apparence de tradition locale, ces architectes répondirent par des matériaux naturels qui, sans écorcher la pureté du langage moderne, l'intégraient à la culture du pays. On appela cela le mouvement régionaliste critique. Il s'agissait d'adaptation contemporaine de systèmes éprouvés par les artisans. Ainsi retrouvait-on le bois, le toit à faible pente, l'auvent, la charpente apparente. Avec, toujours, le souci de glorifier l'union de la maison à la nature, Lajus imagine une villa à toiture de brande épaisse. Ces habitations restent des témoins d'une époque liés à l'histoire du Bassin. Le grand public les découvrit dans les magazines nationaux parce qu'elles traduisaient le désir de « joindre le respect à l'invention, l'audace à l'harmonie et au sens humain ».

Dorénavant, les fenêtres s'agrandissent en larges baies, les terrasses prolongent les pièces à vivre, la cuisine, le salon et la salle à manger ne font qu'un. On y gagne en espace, en lumière, en fluidité.

Quarante ans après, d'autres architectes inscrivent plus que jamais dans leur champ d'expérience le rapprochement de l'homme avec la nature. Avec une plus grande compréhension sensuelle des choses. Et un travail innovant sur la lumière naturelle. Lorsqu'on demande au duo Anne Lacaton et Jean-Philippe Vassal de construire une cabane au Cap-Ferret, il n'est justement question que d'une architecture absorbée par le site. Faite de légèreté et d'invisible. Respirant cette lenteur du temps, si particulière ici. Construite simplement en matériaux industriels. À peine l'aperçoit-on dans son élément sylvestre, petite boîte rectangulaire en acier galvanisé, ouverte d'un côté au soleil levant par des vitrages coulissants. En apparence inaccessible parce que perchée dans la pinède, immergée dans le silence. Comme liée à chaque aiguille, à chaque pigne, à chaque saut d'écureuil. Pas question de supprimer un arbre, avaient décidé les deux architectes. Leur but : se plier coûte que coûte à la topographie

Une architecture néobasque ultra-modernisée, à gauche : atmosphère zen, rayures noir-blanc inspirées de Singapour, meubles asiatiques. Conçue par Pierre Lajus dans les années soixante-dix,

inspirée par l'architecture américaine, modernité d'une villa au toit de brande et larges baies vitrées (page de droite).

et aux autorisations du permis de construire. Leur solution : faire pénétrer les troncs dans la maison comme des colonnes aléatoires qui rétablissent le lien entre l'homme et la nature. Tous sont épargnés par la scie, cinq traversent l'intérieur par un système sophistiqué de joints semblables aux leviers de vitesse. Leurs branches réapparaissent dans le ciel, faisant ombrelle au-dessus du toit. Le soleil s'infiltre frontalement, créant entre l'œuvre et le lieu un lien indissociable. En bas, le Bassin renvoie les rayons constamment changeants qui se réfléchissent dans l'eau et viennent caresser le dessous du plateau en aluminium, rendant l'espace ainsi éclairé à l'intimité ombreuse d'un sous-bois.

Les anciens chais des ostréiculteurs, le travail des charpentiers marins, les pins, amènent les architectes à utiliser un matériau écologique : le bois. En s'appuyant sur les nécessités de la technique et les contingences du présent. Brut ou civilisé, exotique ou local, le bois semble se laisser modeler par tous les rêves de l'imaginaire balnéaire. S'il apporte à l'habitat une nervosité contemporaine, il ne prétend pas moins à une architecture sensible. Facile à vivre, c'est aussi un matériau pacificateur qui sait apprivoiser la brique, le béton, le métal, le verre. Il sait se fondre silencieusement dans la nature et crée à l'intérieur une atmosphère chaleureuse. Hublot, passerelle, terrasse-pont, tubulures, filins, coque... contribuent à une esthétique inspirée des navires. Ainsi est né le chic sportswear des maisons marines, idéal pour la vie de vacances. Tels des bateaux ancrés dans le sable, elles concilient le goût d'une certaine tradition avec l'esthétique moderne.

Est-ce la tropicalité océane du paysage qui éveille l'imaginaire d'autres continents ? Loin du Sahara, loin du Pacifique, loin de Puerto Rico et si loin de Singapour... le rêve des colonies a su s'épanouir en aimables constructions. C'est le retour d'un voyage à Key West, qui a fait naître, il y a dix ans, la maison surnommée *Les Dauphins* en raison de la frise qui multiplie le long du toit la silhouette du cétacé. Ses balustres reprennent le dessin traditionnel des balcons des Keys et les pilotis ceux des cabanes tchanquées de l'île aux Oiseaux. Dans cette habitation, comme dans les autres vouées aux plaisirs balnéaires, la terrasse est moins une diversion architecturale que la pièce saisonnière où se jouent les scènes rituelles de l'été. On s'y installe du petit déjeuner au dîner, les maillots sèchent sur la rambarde après la plage. Plantée sur la toile de fond du ciel, où s'allonge en contrebas le sable criblé d'oyats, elle a le regard rivé à cent quatre-vingts degrés sur l'Océan.

Raphaëlle Hondelatte a gagné le pari de faire une maison à deux respirations vouée à la famille et aux copains. Au premier étage, l'univers des parents où le bois est roi. La pièce à vivre assure les fonctions de cuisine, de salle à manger et de salon. Mais la plupart du temps, les repas se prennent en terrasse. Au rez- de-chaussée, on improvise sa chambre, comme une tente, avec les cloisons mobiles en bâche plastifiée, accrochées à des pitons.

La maison perchée

Raphaëlle Hondelatte a baigné toute jeune dans l'éducation architecturale donnée par son père qui lui a transmis la rigueur de travail très constructive et le goût d'une certaine poésie. Il était normal qu'elle fasse ses premiers pas professionnels, il y a dix ans, à Cap-Ferret où elle a passé, petite, le plus clair de ses vacances.

Enfouie dans les pins et les mimosas comme un rêve d'enfant, en retrait du Bassin, la maison est encore moins visible que les autres. Il fallait attraper à tout prix la vue sur la mer, fournir le confort nécessaire pour y venir hors saison et pouvoir y vivre nombreux, l'été, sans se gêner. Version moderne de la cabane en planches pour Robinson, budget serré à l'avenant, elle est montée sur pilotis métalliques et tout habillée de bois. On accède à l'étage par un escalier de béton brut. Une seule pièce réunit le plan de travail de la cuisine, la table surdimensionnée pour prendre les repas et, dans le fond, le coin cheminée. Le reste de l'espace est découpé en chambre, salle de bains et mezzanine.

À la moindre douceur du climat, on vit sur la terrasse, véritable lieu de transition de jour comme de nuit. Un astucieux système de bâches mobiles qui s'accrochent à la structure fait office de chambre en plein air. Comme au rez-de-chaussée où elles s'installent et s'enlèvent d'un geste pour délimiter les espaces. Tout est mobile, les lits de camp, les hamacs et les sièges pliants, à l'exception du coin douche et du lavabo en Inox. Sans entorse au confort, l'eau y est froide et chaude, à volonté.

Amusante et nomade, aussi ingénieuse que décontractée, cette cabane évite tout sentiment prétentieux et touche à une idée poétique de la légèreté.

Climats lumière

Habiter était pour cette architecte l'envers du projet. Elle conçut sa maison sur le front d'une dune, comme un dessin au trait, pour sa famille et ses amis. Dans un endroit forestier et peu fréquenté là où la marée qui descend loin laisse des milliers de veinures argentées sur le sable et où le silence s'enveloppe d'un souffle iodé. En bas, le village ostréicole. Ses bruits montent, portés par l'écho et ses odeurs de marée viennent mourir là-haut dans la pinède.

Ces éléments mi-terre, mi-eau offrent un supplément d'âme à la construction moderne, vivante, confortable, facile à vivre. En définitive très discrète, bardée de bois teinté de noir, comme les chais des ostréiculteurs.

À l'intérieur, elle est traversée par un long couloir lambrissé de panneaux de bois fauve. Un petit escalier monte dans la chambre-mirador où la baignoire trône au même niveau que le lit, pour le plaisir relaxant de respirer la sève des pins, l'œil rivé dans les nuages. Un certain désordre inspiré qui dénote la décontraction innée de la maison dessine la spontanéité de ceux qui y habitent. Le séjour est grand et lumineux sous un plafond cintré qui s'éclaire le soir de petites étoiles de fibre lumineuse. Il intègre la cuisine, le coin repas, le salon. La blancheur des lignes est adoucie par les contours moelleux d'un canapé, quelques coussins, la rondeur du tapis. Dans le même esprit, le rouge vitaminé et le jaune des chaises d'Arne Jacobsen disposées librement papillonnent dans l'espace comme un thème musical, toujours avec une grande simplicité. La pièce a un caractère interchangeable, mobile, qui lui donne en définitive beaucoup de vie.
La cheminée s'encastre au centre de la façade en verre. En hiver, lorsque l'île aux Oiseaux noyée dans la brume n'ose encore afficher sa présence, les flammes embrasent ce tableau abstrait encadré par le contour des baies vitrées.

Fidèle reflet des plaisirs d'aujourd'hui, la vie se déroule l'été sur la terrasse. La pupille dilatée par tant de bleu du ciel se retourne vers les pins, apaisée d'y trouver la fraîcheur de l'ombre pendant la sieste.

Fluidité et mobilité : la salle de séjour intègre la cuisine et le plan de travail. La cheminée est encastrée dans le mur vitré panoramique. Peu d'objets, mais des touches de couleurs vives. La maison est conçue en fonction du paysage. Le plafond cintré comme une voûte céleste s'éclaire d'étoiles en fibre optique. Un brin de fantaisie accompagne un mode de vie qui se joue entre extérieur et intérieur.

Futur panoramique

Depuis la route de La Vigne, on aperçoit un parallélépipède transparent défier les lois de la pesanteur au milieu des pins. Moderne pour toujours, il a été construit dans les années soixante-dix. Conceptuel et aussi futuriste qu'une maison-passage de James Bond qui prêterait son sublime point de vue à quelques instants de séduction amoureuse.

Il fallait avoir un sacré culot pour tirer un parti maximal du site, sur la crête d'une pente que l'on aurait pu croire inhabitable par son degré vertigineux mais offrant une vue panoramique inouïe. À vingt-quatre mètres au-dessus du vide, la structure métallique large de vingt-huit mètres n'est portée par aucun pilotis. Elle doit ce miracle de lévitation à un système ingénieux de pieux forés dans la dune, de poutres porteuses en équilibre sur ces pieux et de murs portants ainsi qu'à des tendeurs invisibles qui supportent la toiture recouverte en partie par la dune, selon la théorie du contrepoids. La terrasse sert de lien direct entre le paysage et l'intérieur. Le décor design global donne une sensation d'habitat spatial.

Comme à l'origine, deux murs porteurs découpés en alcôves délimitent le lieu en territoires informels. Les différents niveaux moquettés brun tabac d'origine invitent à s'alanguir au ras du sol comme le faisait une génération à la modernité galopante. L'élimination des artifices n'a aucunement réduit le confort du canapé associé à la table basse frôlant la moquette. Le troisième territoire organise le bureau, simple plateau-sculpture en porte-à-faux sur l'estrade où s'escamote un canapé-lit. De mobilier, pas un. À l'exception des sièges et tabourets signés Philippe Starck, de chaises longues asiatiques, pour vivre un mode de vacances plus actuel, sans tentation pour les cambrioleurs.

Dessinée comme une épure au milieu des pins, remarquable par sa légèreté, l'architecture radicale impose une rigueur qui n'exclut pas la générosité. Elle est totalement ouverte sur le paysage par une terrasse qui la ceinture. L'intérieur est adouci par une voluptueuse moquette couleur café et des murs alvéoles emblématiques des années soixante-dix. Le design de cette époque futuriste a disparu, remplacé par les fauteuils moulés et les tabourets de Philippe Starck.

Horizon vertical

La maison a fait son nid dans les pins du Pyla. Un peu par hasard. Jean-Luc et Antigone Schilling, faute de terrain à leur convenance, avaient acquis une ancienne villa Gaume, du nom de l'entreprise familiale qui les construit depuis les années trente dans un style néolandais, bourgeoise et confortable. Y manquait un espace qui invite à des moments d'isolement propices à leur activité créative et littéraire. En faisant appel à Patrick Hernandez, ils surent d'instinct qu'ils seraient compris.

Sans toucher à la première construction, l'architecte eut l'idée de construire une extension sous forme de cabane haut perchée près des arbres. En adaptant l'idée de la palombière à un mode de vie contemporain, il replaçait cette architecture audacieuse dans le contexte de la forêt des Landes. Sorte de belvédère où dialoguer avec le ciel.

L'habitation nouvelle, en totale rupture avec la villa d'origine, est érigée en bois brut et acier. Elle partage ses petits mètres carrés entre la terrasse et des petites pièces fonctionnelles comprenant chambres, bibliothèque et bureau. On y accède par un vertigineux escalier en colimaçon qui vous sépare immédiatement du plancher des hommes. On a l'impression qu'on va chavirer dans le bassin de nage, sept mètres plus bas, tant l'ossature en métal paraît aérienne.

Les cloisons de bois coulissent et disparaissent tout entières pour libérer l'espace intérieur et l'assimiler à la terrasse. Fermées, elles sont découpées par des meurtrières horizontales placées à hauteur de l'œil de sorte que le soleil couchant vient inonder l'espace. Alentour, la cime des arbres en se balançant fait osciller leur ombre sans atteindre ce refuge atypique invitant au repos et à la concentration, qui embrasse le cosmos.

Au-delà de sa précision architecturale entre ciel et eau, ce belvédère en communion avec la nature offre à deux âmes créatives une source d'isolement et de bien-être pour le travail, la réflexion ou le repos. Il s'ouvre totalement par des cloisons coulissantes. Un brise-soleil métallique protège la terrasse des rayons ardents. À l'intérieur, les meurtrières sculptent la lumière. La salle de bains, à gauche, basique et confortable, s'ouvre sur les deux chambres cabines.

Sous le vent des Antilles

On la dirait construite au tournant du siècle passé du côté des Antilles. Elle est neuve, tout en bois. La famille qui l'habite a créé un contexte de vie contemporain sans perdre le sens des racines. Le bois apporte une sensation de chaleur, les murs blancs une lumineuse légèreté. Le volume du salon, le mur-cheminée sculptural, les reflets de lumière traversant les pièces suggèrent une atmosphère d'élégance qui ne déroge pas au fonctionnel. Comme dans les maisons créoles, on vit à l'ombre de la véranda imprégnée des charmes du Bassin.

Agrippée à une pente de quelques centaines de mètres près de la pointe aux Chevaux, elle se protège dans une végétation désordonnée de maquis méditerranéen dont le génie de survivre dans le sable dépasse l'ordre donné par le paysagiste. Un escalier étroit dessiné par des traverses de chemins de fer descend en tortillant jusqu'au village.

Sous sa peau créole coulent d'autres racines, celles qui l'attachent aux maisons authentiques qu'elle domine. Aux Antilles, elle emprunte le bois et la terrasse vécue comme une varangue, aux cabanes tchanquées leur pilotis, aux maisons de tradition arcachonnaise leur fenêtre. Construite depuis six ans, elle paraît avoir toujours existé. Se sentir chez elle en terre étrangère est sans doute sa plus jolie qualité. Tant de naturel étonne. Cela en fait son charme.

Hospitalière par choix, elle reste intimiste par vocation. À l'image de ceux qui y habitent, elle est contemporaine comme la seule voie possible pour atteindre la simplicité. Simone Bouchardeau, du bureau Indoors à Paris, l'a conçue en trois territoires. La partie centrale déploie une large terrasse aussi confortable que le salon. L'unité de l'ensemble est assurée grâce à une charpente haute de plafond qui établit l'équilibre des deux espaces. Rien ne vient parasiter le blanc nuancé des murs contrebalancé par le sol roux en ipé huilé. Ni le mobilier sombre réduit à deux tables anciennes, bien à leur place, qui auraient pu connaître une première vie dans la demeure d'un planteur, ni le mur-cheminée qui donne au stock de bois, de part et d'autre de l'âtre, une valeur sculpturale.

Chaque chambre est indépendante. La cuisine aussi dont les ouvertures très dégagées sur le Bassin s'inspirent des chais d'ostréiculteurs. N'allez pas croire que la maison ne s'ouvre qu'aux jeux de la belle saison, elle s'adapte à merveille aux brumes mystérieuses de l'hiver.

DESERTS
NEW ENGLAND

Simple rigueur

Fonctionnelle et contemporaine, avec un parti pris confortablement dépouillé, elle arbore une façade en bois et une toiture de tuiles qui la replacent immédiatement dans le contexte des constructions traditionnelles du Bassin. À l'intérieur, blancheur et raffinement sont les mots d'ordre d'un nouvel état d'esprit sensible à la rigueur japonaise. Dépouillée de tout décor intérieur superflu, elle laisse une belle importance au jardin planté d'essences méditerranéennes et de plantes qui supportent les embruns.

Ils ont quitté Cogolin dans le Var, il y a quinze ans, parce que la région s'avérait superficielle et trop urbanisée pour leur mode de vie. Le chic naturel du Pyla, son élégance discrète et sportive auxquels s'ajoute l'attrait du voyage Paris-Arcachon en quatre heures de TGV, ont déterminé leur installation. Ici, la notion des saisons n'a plus le même cours que sur la Côte d'Azur et la beauté des paysages joue sur les demi-tons plus mystérieux.

Après la première villa construite avec l'architecte bordelais Jean-Marc Vialle, une vraie complicité s'est établie avec lui lorsqu'il s'est agi d'inventer la seconde. « J'aime un certain minimalisme sensible », avait insisté la maîtresse de maison, attirée par la perfection japonaise. C'est donc la ligne droite qui gagnera et le bardage de bois horizontal sur les façades. Elle sera rigoureuse, dessinera un équilibre harmonieux des volumes clairs et dépouillés.

L'atmosphère que la maison procure est particulièrement reposante. La générosité des ouvertures vitrées, le fait qu'elles ne soient pas protégées par un auvent, l'intensité de la lumière glissant d'est en ouest dans les pièces et la vue qui s'offre au regard englobant le jardin, sa végétation d'arbousiers, de pins parasols et de plantes graminées, remplissent d'un sentiment de sérénité. L'intérieur est tellement lumineux que, parfois, il contraint à utiliser les stores. Les pièces s'articulent symétriquement autour de la grande pièce à vivre, toute blanche, comme un loft.

L'élimination des artifices n'a nullement réduit le confort d'un espace sobre qui a ses placards invisibles encastrés dans les murs, son canapé près de la cheminée et s'octroie le raffinement contrasté d'une commode Louis XVI. Deux fauteuils s'autorisent une belle toile rouge, seules taches de couleurs qui se détachent sur le sol en ardoise, prouvant qu'une démarche moderne peut avoir la force de l'harmonie.

Évocation bateau

La maison, idéale pour la vie en plein air, érigée avec des matériaux industriels, est adoucie à l'intérieur par du bois en contreplaqué qui tapisse les murs. Les pièces évoquent les cabines d'un paquebot. Pour la cuisine, Patrick Hernandez a conçu une table où prendre les repas autour d'une ingénieuse cheminée suspendue au plafond.

Les aiguilles sèches des pins craquent sous les pieds. Depuis le chemin, on aperçoit la bâtisse immergée dans les arbres à la pointe du Cap-Ferret. Elle se donne franche, proposant son corps charpenté à l'aplomb du soleil : de la brique, de l'Éverite, de l'alu et du zinc boulonné résistant aux intempéries et aux vents salés. Sorte de maison manifeste, emblématique des années quatre-vingt, imaginée par l'architecte Patrick Hernandez comme un jeu de Meccano avec des matériaux industriels. L'espace s'exprime par la fusion de l'extérieur avec l'intérieur. La géométrie éclatée, la coursive extérieure et les terrasses superposées comme des ponts de navire, propices aux bains de soleil, sont autant d'éléments de charme pour retrouver l'esprit buissonnier des vacances. Patrick Hernandez a dessiné meubles et luminaires, jusqu'au moindre détail. À l'intérieur, l'occupation de l'espace, le bois omniprésent sensuel et roux, les courbes arrondies et le cuir rouge apportent le confort masculin d'un intérieur de bateau. Les chambres, petites, sont conçues comme des cabines dans un esprit astucieux de gain de place et de confort de vie. Le moindre espace est récupéré pour dissimuler un rangement, faire glisser un matelas, escamoter la baignoire. Le salon, dessiné avec de confortables sièges en forme de vague, ressemble à un carré où préparer la prochaine America Cup.
Clou du décor, le plan de cuisine intègre dans un même volume plan de travail, table des repas et cheminée.

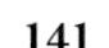

Sous le signe du bois

Laurent Duplantier explore le potentiel du matériau bois pour construire des maisons légères aux allures de bateau. La sienne n'y échappe pas, sorte de navire bardé de red cedar, amarré aux Abatilles, privée de mer mais si grisée par la nature exceptionnelle qui l'entoure. « Épatante à vivre », résume en chœur l'entourage familial pour définir le bon volume qui répond parfaitement aux exigences des vacances : un rez-de-chaussée pensé comme un vaste studio, avec de grandes baies vitrées dans le souci de glorifier l'union de la maison avec la nature, qui s'ouvrent totalement sur la terrasse, large pont projeté au-dessus du sable, que chaque heure du jour et de la nuit anime.

Les chambres et les salles de bains mettent le minimum dans tous ses états. L'économie de moyens s'est imposée en réveillant les bonnes idées : on a par exemple tapissé l'intérieur, escalier compris, de contreplaqué en pin, et intégré le bloc cuisine derrière des portes coulissantes.

Laurent Duplantier privilégie ce concept architectural limpide et chaleureux au point de l'adapter à ses clients. Dans une villa d'Arcachon (voir photos double page suivante), il a joué sur la double lecture du bois. Les murs intérieurs entièrement tapissés de lamelles horizontales en red cedar créent l'illusion à travers les parois de verre d'un prolongement extérieur. *Vice versa*, les volets extérieurs à claire-voie évoquent les jalousies tropicales, brisent la lumière trop forte et s'intègrent dans l'ambiance des chambres.

Préoccupé par la relation à l'espace, le mode de vie et les matériaux naturels, Laurent Duplantier a travaillé sur la lumière en créant des volumes simples et de grandes ouvertures, face à une végétation quasiment sauvage. L'économie des moyens s'est imposée en réveillant les bonnes idées. Celle par exemple de tapisser les murs de contreplaqué en pin, d'intégrer le bloc cuisine derrière des portes coulissantes. Pas d'espace perdu, pas de couloir, peu de portes. La chambre mirador se double d'une grande terrasse privée et de la salle de bains qui parachève le thème marin par des hublots.

La singularité de cette maison s'exprime par un plan triangulaire qui épouse l'exiguïté du terrain et des poteaux en béton, interprétation contemporaine des colonnes balinaises, associés au thème bateau évoqué par le bois et les balustres en métal.

Escale océane

La maison sudiste semble avoir trouvé sa place idéale dans l'environnement paysager du Bassin. Une grande pelouse la sépare du rivage. Au bout, la terrasse à larges lattes de bois permet bains de soleil et sieste dans les chaises longues. La table est dressée près de la bâtisse sous la fraîcheur bienfaisante des bâches écrues.

Dès qu'ils ont un instant de liberté, l'été de préférence, ils se précipitent dans ce bout du monde malgré leur dévotion pour le soleil méditerranéen. Cap-Ferret n'est-il pas un Sud autre ?

C'est dans cet esprit que les propriétaires ont fait appel à Jean-Marc Roques, à Paris, spécialiste des architectures contemporaines en bois d'inspiration américaine et initiateur de ce que le grand public surnomme aujourd'hui le « style Sperone » pour évoquer les premières villégiatures de cette partie sud de la Corse. Son sens de l'adaptation par rapport au paysage se retrouve ici, face aux parcs à huîtres et aux marées, aux subtilités nuageuses et aux aurores mauves.

Il opte pour une façade en bardage de bois horizontal et un toit en bardeaux, travaille la position des ouvertures larges, très larges. Tout le travail de menuiserie est exécuté par Yves Rougier, excellent compagnon du devoir, qui vient spécialement du centre de la France apporter son savoir-faire sur la dune. Plusieurs essences de bois exotiques sont utilisées, le red cedar dans la salle de bains, le toko sur les portes, l'azobé pour le ponton d'accostage.
Autre particularité de la bâtisse : les fenêtres à guillotines dont le système breveté arrive des États-Unis et la cheminée du salon volontairement apparente en façade, réalisée en métal que les lumières du Bassin s'amusent à iriser.

Faire pousser des plantes sur ce sol ingrat n'est pas une mince affaire. Beaucoup ne s'adaptent pas au terrain sablonneux ni à l'ombre des pins. Devant la porte d'entrée, des graminées sauvages ont poussé en touffes épaisses et ébouriffées tout à fait adaptées à la nature de l'environnement.

Dehors-dedans, même sobriété contemporaine dans la maîtrise du détail. Le sol du rez-de-chaussée est en béton bleu teinté dans la masse qui lui donne une profondeur azuréenne, alors qu'on accède par une passerelle au premier étage où la chambre joue l'exotisme avec un parquet en bambou.

L'intérieur de la villégiature rassemble les bleus du ciel et la couleur des sables qui procurent une impression reposante de vacances. De la passerelle qui mène dans la chambre belvédère, le regard embrasse la salle de séjour dont la géométrie des baies vitrées joue avec la lumière.

LES RENDEZ-VOUS DU BASSIN

6

LES RENDEZ-VOUS DU BASSIN

La creuse d'Arcachon (ci-contre en haut) a un goût d'iode frais et salé bien particulier. Chez Larrarté au Canon, on la déguste sous la tonnelle, près du rivage. La pêche du jour et la dorade du Bassin chez le poissonnier Boulan (ci-contre en bas). Tropiques atlantiques à la terrasse du Sail Fish (page de droite). Ambiance de village à la Marée de Paulo (double page précédente), au lieu-dit Jane de Boy.

La douceur de vivre sur le Bassin ? Liée aux paysages, aux traditions que perpétuent les hommes dans leur travail, à la spontanéité du plaisir et aux sensations vraies. Calquée sur une vie authentique qui fut longtemps à l'écart du reste de la province. La découvrir, c'est pénétrer à pas de velours dans le creux d'un port, c'est sentir l'odeur du bois à travers la porte ouverte d'un atelier de charpentier de marine, rêver dans l'intimité d'une terrasse fleurie au bord de l'eau ou à l'ombre d'une guinguette devant une assiette de poisson, le regard sans cesse sollicité par la silhouette d'un bateau. Si le XIXe siècle a donné à Arcachon un certain goût du luxe, l'âme sauvage de la côte noroît l'ignore, surtout lorsqu'il se voit.

D'Arcachon à Cap-Ferret, des petits panneaux accrochés de guingois annoncent « dégustation d'huîtres » et les restaurants l'affichent en gros à leur carte. La spécialité gastronomique se construit tout entière autour de la locataire du bassin : la petite creuse, plus précisément *Crassostea gigas,* originaire du Japon. Pas paresseuse pour deux sous, elle boit l'eau brassée par le va-et-vient des marées. Elle est capable d'en avaler vingt-cinq litres par jour en filtrant toutes sortes de microscopiques bestioles dont elle se nourrit. Elle doit aussi lutter contre les étoiles de mer, les bigorneaux, et autres prédateurs voraces, même l'homme qui l'élève pour mieux la dévorer, à qui elle résiste bravement en fermant hermétiquement sa coquille jusqu'à ce que la lame du couteau ait raison d'elle.

N'ayant à subir aucun traumatisme de voyage, elle est fraîche à souhait, peu grasse, tout en muscle, de couleur verte tirant sur le gris et ourlée de noir. Elle a le goût vif de l'iode mais entretient des rapports complexes, presque sentimentaux, avec les papilles. Contrairement à ce que l'on croit, elle se déguste toute l'année, même les mois en « *r* » pourvu qu'elle soit bien élevée. Certains la préfèrent « affinée » après un ultime séjour dans les courants du banc d'Arguin qui ennoblissent son caractère. Une quarantaine d'ostréiculteurs ouvrent dès le printemps leur cabane à la dégustation. Quelques sièges, trois tables et des parasols suffisent à donner un air de guinguette. Et voilà le passager embarqué dans une agape buissonnière dont le soleil vient caresser le bord des coquilles. Alors que la vie fait l'insouciante sous le regard blond et frais d'un bordeaux blanc.

Les produits de la mer ne se résument pas à l'huître. Figurent évidemment en bonne place les poissons : le bar, la dorade et le rouget, l'anguille prise à la

nasse et le mulet, la sole qui se cache dans les fonds sableux du Bassin. Côté Océan, on atteint l'univers du merlu, du thon, du maigre et du bar que les frères Lucine attrapent d'un grand tour rapide de bateau dans l'écume des brisants. De tous temps, les passes ont été le pire des casse-tête aux plus aguerris des marins, mais eux les ont toujours vaincues. Sacrée famille de pêcheurs admirée de tout le pays ! De père en fils, ils connaissent les fonds comme leur poche et débusquent les bancs de poissons en se fiant autant à l'œil qu'à l'expérience.

« Mettez beaucoup d'amour dans une casserole et encore plus de simplicité puis mélangez avec un bon produit du terroir », conseillait une marchande sur le marché de Piraillan à qui on tentait d'arracher la recette des rougets au foie pilé. La cuisine du Bassin n'a jamais fait beaucoup de bruit, pourtant elle régale les fines gueules les plus exigeantes. C'est une cuisine de femmes qui se sont transmis leurs expériences immémoriales puisées dans les Landes. De nécessité vitale, elle est devenue plaisir. Depuis, l'assiette raconte aussi quelque chose. Car on a beau faire, les prouesses des plus experts ne seront rien si elles n'expriment pas des sentiments.

Les restaurants les plus chaleureux, les plus appréciés le sont par leur spontanéité. On peut y faire les meilleurs repas du monde si l'envie, la compagnie et le moment sont de la partie. Regardez, apparemment, il n'y a rien d'extraordinaire chez Magne à l'Herbe. Et pourtant… si. Depuis la terrasse où l'on prend ses quartiers de midi – ou du soir – le petit village ostréicole aux façades colorées joue de son charme naturel au bord de l'eau. Il y a aussi la forte personnalité de Jeannine, et le calme de Michou, sa cousine, qui tempère. Vous cherchez Jeannine ? Elle passe la commande d'une table de « bons clients », plaisante avec eux et ronchonne après deux retardataires qui ont oublié l'horaire devant le coucher du soleil. Toutes deux « donnent avec leur cœur » pour mener la maison tambour battant, une ancienne habitation du début du siècle avec balcon de bois dentelé et colonnettes qui servait de cantine aux résiniers. La salle de restaurant affiche encore chaque midi ses « petits menus » pour les ouvriers. Cela n'empêche pas de voir apparaître à la carte la sole aux cèpes, le foie gras et quelques plats de saison. Les huit chambres désuètes, repeintes en couleur pastel, ont conservé le confort spartiate des hôtels d'après-guerre. Elles ne gagneront jamais l'étoile au Michelin… mais la vue sur le Bassin, pour certains, fait oublier la cloison trop fine et les inconvénients d'une salle de bains à partager sur le palier !

Tout aussi bien, on aurait pu aller chez Hortense. Avec une félicité sans égale, on aurait pris les moules au jambon, spécialité de la maison, puis un turbot, une sole qui

Les fruits de mer chez Diego à Arcachon (en haut, à droite). Délices de septembre, les petits rougets vendangeurs (en haut, à gauche). Atmosphère intime au Sail Fish (ci-dessus). La terrasse d'Hortense, à Cap-Ferret (à gauche).

Les retours de plage à Cap-Ferret passent toujours par une glace chez Frédélian où le comptoir est une encyclopédie de la pâtisserie traditionnelle. Parmi les gâteaux cultes de la maison, la gaufre, le train du plaisir et le gâteau à la cerise (en haut). Au Moulleau, Guignard est le spécialiste du cannelé bordelais, (au centre), craquant à l'extérieur et moelleux à cœur, et du pondichéry à la pâte d'amandes. Au Cornet d'Amour, les glaces ont la douceur d'une recette artisanale (en bas).

déborde de l'assiette ou des huîtres préparées chaudes, en ayant pour unique vis-à-vis la dune du Pilat. Et on se serait dit, comme l'écrivain gastronome Curnonsky : « La cuisine, c'est quand les choses ont le goût de ce qu'elles sont. » Chez Hortense, c'est la guinguette chic de Cap-Ferret, le rendez-vous obligé de la bourgeoisie bordelaise, où il est indispensable de réserver. Sable, mer, terrasse ombragée, vigne, verdure et atmosphère familiale, l'endroit a de quoi plaire ! Son histoire est devenue légende, elle mérite d'être racontée. Dans les années vingt, Louis et Hortense achetèrent l'hôtel de la Pointe à Cap-Ferret. Il était maître d'hôtel à Arcachon. Elle, cuisinière, répandait la joie avec ses plats de ménage : palombes, grives et autres oiseaux. Ah, les irrésistibles saveurs giboyeuses ! Elles comblaient les chasseurs débarqués en bateau pour passer le week-end. Mais le littoral instable s'effritait, l'eau avançait et quelques années plus tard l'hôtel fut englouti par les flots. Cela ne découragea pas le couple qui s'installa quelques mètres plus loin dans la maison en briques et en planches de pin de l'ancien restaurant Roux. Soixante ans ont passé. L'eau grignote la plage, les photos anciennes tapissent les murs, la quatrième génération se met au fourneau et les années perpétuent l'esprit d'origine. Il n'est pas un vieux Ferret-Capien ou un Bordelais de la belle époque – celle d'avant les années soixante – qui n'y ait au moins un souvenir charmant rattaché au cœur, quelque histoire à raconter de Zaza, la fille d'Hortense, des exploits de chasse lorsque les hommes attrapaient l'alouette au filet sur les dunes par vent de sud. Ils traversaient la forêt. Les journées étaient grandioses. Il régnait un climat chaleureux et tout était prétexte à faire la fête.

Un peu comme les bonnes choses, quand un lieu a du goût on ne s'en lasse pas. C'est le cas, aujourd'hui, du Sail Fish à Cap-Ferret, sa grande terrasse si attrayante pendant les nuits d'été et l'intimité de sa cheminée pour les soirs frisquets. À sa façon contemporaine, le restaurant bondé chaque soir – il fait aussi bar de nuit – a acquis la reconnaissance des adresses qui traversent les saisons sans

La Maison du Bassin, plus proche de l'esprit d'une maison de famille que d'un hôtel-restaurant. Le mobilier a été chiné dans les brocantes (photos ci-contre). Le charmant hôtel des Pins dans son jardin d'hortensias (photos ci-dessus).

prendre une ride et sont toujours à la pointe des vitrines esthétiques de la presqu'île. Greg sait mieux que quiconque offrir l'insouciance des vacances. Il fusionne si bien les tendances, met cap au soleil, n'oublie pas la cuisine de terroir, redouble d'imagination exotique que, chez lui, on se sent vraiment « dans le vent » ferret-capien.

Rendez-vous au 33, boulevard de la Plage qui, comme son nom l'indique, mène du bord de l'eau au centre du village. L'angle de trottoir vit, respire, palpite et dort par la vertu pâtissière de Frédélian aussi connu pour ses glaces et ses gâteaux qu'une institution d'État. L'enseigne a été créée en 1939 par les grands-parents de Jean-Philippe Michaut, l'actuel pâtissier, dont les gâteaux mousseux, crémeux, voluptueux, ont la rondeur innocente des chérubins joufflus. Les matinaux viennent méditer sur la terrasse, sur les coups de huit heures passées, devant un café crème et croissant en lisant *Sud-Ouest* ou *La Gazette du Bassin*. Ils rencontrent quelques connaissances qu'ils ne croisent plus de la journée, tant les loisirs sont occupés entre bateau, pique-nique et vélo. À la marée montante

L'hôtel La Corniche voisine avec la dune du Pilat. Le site jouit d'un panorama remarquable sur l'Océan (page de gauche). Le bar a conservé son décor néobasque (ci-contre, à gauche). Ambiance familiale très années soixante à la terrasse de l'hôtel de la Plage à L'Herbe (à droite).

du retour de plage, la terrasse s'enfle d'une agitation particulière sentant l'ambre solaire et le sable encore chaud : les familles entières attendent devant le stand des glaces et des gaufres, récompense promise à tout enfant sage. Autre coup de feu, chaque soir avant la fermeture lorsqu'on vient chercher la commande du succès, du craquelin et des roulés au citron. C'est le moment où les serveuses commencent à pousser les tables. Quelques minutes plus tard, à dix-neuf heures sonnantes, après avoir balayé sous les pieds des clients, elles bouclent la porte, sourdes aux supplications des retardataires.

L'atmosphère de Cap-Ferret se prête au pittoresque des maisons de charme. Il n'y a pas plus agréable que de dormir dans un hôtel qui est comme un chez-soi. La Maison du Bassin ressemble beaucoup à cela. Elle doit l'authenticité de son caractère à sa situation dans le village des pêcheurs. Les gens du coin connaissent encore l'adresse sous le nom de Bayonne quand il était un établissement précaire qui périclitait face aux exigences de la clientèle et aux impératifs de l'administration. L'époque est révolue. L'habitation a trouvé la juste sensibilité du vécu et, sans nostalgie, la vit au présent. Quand on voit le carrelage de la terrasse, son auvent festonné, les murs en voliges, les couvre-joints traditionnels, le mobilier en pitchpin, on se dit que rien décidément dans cette maison n'a changé. Et pourtant… Aux fourneaux – ultramodernes – le jeune chef déploie une cuisine d'instinct préparée avec les produits de la région : les huîtres sont en gelée, le crabe farci, les moules servies froides selon une recette devenue la spécialité de la maison, les volailles ont le goût de la ferme, les poissons sont pêchés du jour. Les gourmands ne rateront pas le passage devant le comptoir des pâtisseries rempli de gâteaux aux souvenirs de l'enfance.

Vous êtes-vous déjà amusé à compter combien vous connaissez d'hôtels de la Poste, de la Gare, du Beau Rivage ? Leurs noms semblent immuables malgré leur environnement qui s'est transformé au fil des décennies… Celui-ci s'appelle l'Hôtel de la Corniche et il porte bien son nom. Personne n'a jamais pu bâtir devant lui, il est placé en bord de falaise, devant l'horizon vierge à cent quatre-

La pinasse (ci-dessus) est le bateau spécifique du bassin d'Arcachon. Les premières pinasses destinées à la pêche ne possédaient pas de roof.

vingts degrés. Supprimez-le et le Pyla perd un pan de son patrimoine balnéaire. Louis Gaume, qui avait acheté le terrain dans les années trente, alors que personne n'en voulait, en avait fait une halte agréable en pleine nature pour le voyageur qui se hasardait sur le chemin de sable. Et on connaît la suite… le bâtiment s'est agrandi de quelques chambres et d'un restaurant. L'hôtel de la Corniche jouit d'une des plus belles vues atlantiques qui soient, c'est vrai. Mais l'aménagement des chambres n'atteint pas vraiment le charme et le confort que l'on espère. Toutefois, c'est amusant d'aller prendre un verre au bar, entièrement décoré d'un mobilier néobasque resté dans son jus, ne serait-ce que pour découvrir les peintures murales qui tapissent la pièce. Elles représentent des fresques géantes et idéalisées de scènes rurales, forestières et marines de la région.

Évoquer encore la pêche ? Le sujet paraît inévitable, surtout lorsqu'il s'agit de filets. Il n'y a plus que deux fabricants pour la pêche maritime en France, le saviez-vous ? Les autres sont de simples importateurs. Qu'elle était belle la France d'Armand Mondiet, lorsqu'il créa sa fabrique en 1880 ! Pleine de débouchés et de travail, les carnets de commandes remplis, et les ballots en partance pour toutes les côtes de France. La main-d'œuvre tressait, nouait, piquait, montait, laçait. Même si le temps a passé, même si le monde est fait pour changer, les poissons s'attrapent toujours dans les mailles. De nos jours, Pierre Mondiet en fabrique de toutes sortes. L'atelier s'est agrandi, modernisé, il fait du sur-mesure pour les patrons de pêche. Des centaines de mètres de filets sortent des bacs à teinture dans une palette de couleurs inattendues : aubergine, gris, rose vif, brun et safran…

Aussi loin commence-t-elle, l'histoire du Bassin est intimement liée à celle de la navigation. L'aventure a commencé avec la pinasse, reine des pêcheurs, simple pirogue élancée parfaitement adaptée aux particularités locales : un fond plat, à faible tirant d'eau, permettant de naviguer dans très peu d'eau, d'aborder facilement les rivages. Pour la pêche en pleine mer, elle bravait

Conçu par Philippe Starck pour naviguer sur le Bassin, ce bateau à moteur (ci-contre) évoque par son fond plat les vaporetto qui sillonnent la lagune vénitienne et par sa largeur – trois mètres quinze – la côte du chaland ostréicole. Sa conception ingénieuse, sa recherche de confort et de plaisir dans un minimum de place révèlent l'efficacité de son design. Tout est dissimulé dans les placards invisibles, à l'exception du poêle qui chauffe la cabine (en bas, à gauche) et du lit, élément principal d'où l'on profite du paysage à travers les larges baies (en bas, à gauche). Le poste de pilotage se trouve à l'extérieur, devant le pont avant consacré au farniente (en haut à droite).

AC 843924

Les vieilles coques prisées par les fous du Bassin retrouvent leur éclat dans les chantiers navals qui les restaurent et construisent des modèles traditionnels en bois ou en plastique moins onéreux. Les chantiers Bossuet perpétuent leur savoir-faire à l'Aiguillon (en haut, à droite). Mondiet fabrique toutes sortes de filets en Nylon pour les professionnels de la pêche (en haut, à gauche) et continue la tradition des mailles de coton pour le matériel de petite pêche et la décoration.

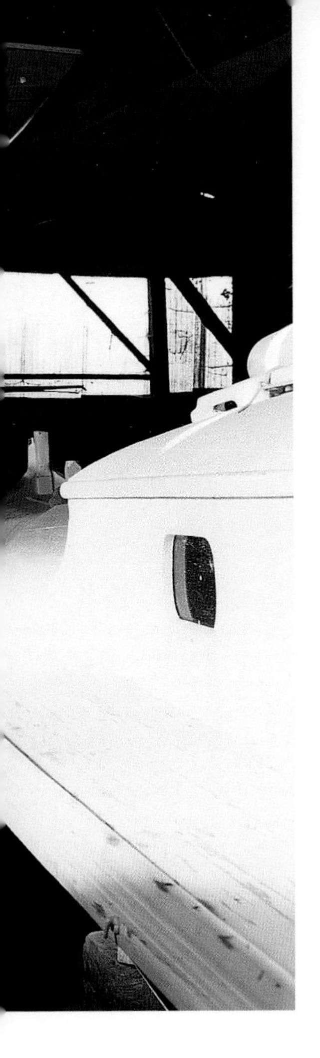

Les chantiers Dubourdieu (ci-contre, à gauche), soucieux d'adapter de nouveaux modèles au mode de vie du Bassin, ont mis au point des bateaux fabriqués sur-mesure à l'esthétique traditionnelle mais de conception contemporaine appelés Classic Express.

courageusement les passes. On comptait autant de pinasses que d'hommes dans les ports. On construisit aussi des chaloupes qui pouvaient embarquer seize hommes et des embarcations plus petites, les pinassottes. Ils partaient à la voile ou à l'aviron. C'était en 1800 : un jeune charpentier du nom de Louis Dubourdieu venait d'ouvrir un chantier de construction de *tilloles*, mot ancien désignant les bateaux de pêche à rame. Il y eut encore d'autres modèles comme le bac à voile idéal pour transporter les poteaux de mines ou travailler sur les parcs à huîtres.

La révolution industrielle fit naître le moteur à pétrole… il n'en fallait pas plus pour chambouler l'univers de la pêche et de l'ostréiculture. Et transformer la pinasse en « pétroleuse ».

Parallèlement à cette évolution, le yachting s'est développé à folle allure au point de voir naître en 1873 le Yachting Club d'Arcachon. Le Loup va bientôt sillonner la baie qui servira dorénavant de point de ralliement à de prestigieuses régates. Du côté des chantiers navals, une grande activité se déployait. Il s'en ouvrait par dizaines où travaillaient les meilleurs charpentiers de France, disait-on. Des beaux yachts de course qui gagnaient héroïquement et des bateaux de croisière, le petit *Pacific* qu'on disait à la pointe de la construction, sortaient de chez Bonnin. Les chantiers Dubourdieu, quant à eux, transformaient dans les années trente la pinasse traditionnelle en bateau de loisir. On la surnommait « pinasse de Monsieur », généralement pilotée par des marins, petits pêcheurs qui se louaient à la journée. L'architecte naval Joseph Guédon marquait par ses constructions l'histoire du Bassin et celle de l'Europe entière. Tout était dans la logique des temps d'avant-guerre et des fortunes ; tout cela a dû céder le pas aux fluctuations économiques et au plastique.

Que reste-t-il aujourd'hui de cette épopée marine ? Des vieilles coques qui ne demandent qu'à revivre, des passionnés qui les convoitent, des chantiers qui les remettent à neuf. Oubliés le plastique et le hors-bord pétaradant, place à l'authentique, au bruit saccadé des vieux cylindres, si plaisant aux oreilles des puristes.

Aux voiles qui claquent dans le silence marin. Les régates offrent dorénavant le ballet des bacs à voile et des pinassottes où les équipages s'affrontent au milieu des courants. Il faut les voir virer de bord, affaler la voile sans prendre la vergue sur la tête, soulever le mât, passer la vergue de l'autre côté et renvoyer la voile en un temps record. D'autres anciennes formes devraient prochainement rejoindre le Bassin.

Dans le grand hangar de Dubourdieu, deux ouvriers s'affairent entre une pinasse en réparation et un *Classic Express*, bateau conçu par le chantier, dont les lignes évoquent les années soixante et dont le moteur atteint une bonne vitesse. On marche sur les copeaux de bois fraîchement rabotés. « C'est la forme d'aujourd'hui, élégante, racée, bien adaptée aux contingences du Bassin », explique Emmanuel Martin qui a repris les rênes de l'affaire depuis quelques années. La modernité bien pensée ne peut que le ravir. Et travailler avec Philippe Starck fut pour lui une nouvelle expérience. Le chantier a assuré la construction d'un bateau que le designer a dessiné : plus de treize mètres de long, un fond plat, une cabine qui inclut la chambre et la cuisine. Sorte de vaporetto moderne dont le minimalisme n'a négligé aucun confort et qui a été mis au service du plaisir et du sensible.

OUEST
Laslandes :
ans à Bordeaux
S.B.D.
PRIX POSES
SANS SUPPLÉMENT

LES BONNES ADRESSES DU BASSIN D'ARCACHON

Ce sont les gens du Bassin qui font la personnalité de leur pays.

Du Pyla à la pointe de Cap-Ferret. En se glissant dans leurs habitudes,

le passager est invité à les partager.

Voici quelques adresses qui traduisent la facette authentique,

sensible ou balnéaire de la région.

À noter, toutefois, que beaucoup d'adresses saisonnières ouvrent d'avril à septembre

et pas toujours en week-end, hors saison.

Hôtels

Le Pyla

La Corniche
46, boulevard Louis-Gaume
Tél. : 05 56 22 72 11.
Bénéficiant d'une situation unique sur la corniche, l'hôtel jouit d'une vue imprenable sur l'Océan et voisine avec la dune du Pilat. Un réel privilège lorsqu'on dîne le soir en terrasse. Les chambres sont décorées comme seul un hôtel de province dans les années soixante aurait pu l'être. Le bar est le témoignage resté intact des arts décoratifs néobasques.

Haïtza
1, place Louis-Gaume
Tél. : 05 57 52 79 27.
Des bruits de rénovation courent, meurent et ressuscitent au fil des saisons autour de cet établissement classique qu'on aimerait bien voir transformé en hôtel où le luxe du confort ne détruirait pas le charme. Le lieu et sa belle architecture basque s'y prêtent assurément.

Côte du Sud
4, avenue du Figuier
Tél. : 05 56 83 25 00.
8 chambres de charme avec vue sur la mer, aux décors ethniques, font voyager loin du bassin.

Cap-Ferret

Hôtel des Pins
23, rue des Fauvettes
Tél. : 05 56 60 60 11.
Maison de charme transformée en hôtel, auquel on accède par un jardin noyé d'hortensias et une ancienne véranda qui accueille la salle de restaurant. Le bar « littéraire » permet de s'alanguir en conversant dans les fauteuils patinés. Les chambres arborent un petit air « brocante » qui ne laisse pas présager un confort international mais entretient l'agrément du lieu.

La Maison du Bassin
5, rue des Pionniers
Tél. : 05 56 60 60 63.
L'adresse la plus agréable à tous points de vue : par son authenticité de maison de famille et la simplicité naturelle de son accueil. Ses chambres ont un charme indéniable, ses petits déjeuners pris en terrasse une douceur infinie, le bar fait goûter à l'exotisme des vacances… si on devait noter, on mettrait 10/10.

Restaurants

Arcachon

Chez Diego
2, boulevard Vétrier-Muntagnères
Tél. : 05 56 83 84 46.
Bien placé en front de mer, son banc d'écailler, généreusement approvisionné, fidélise les amateurs de coquillages. La carte élabore toutes sortes de poissons, des pibales en saison, une petite friture légère et quelques spécialités de viande.

Chez Yvette
59, boulevard du Général-Leclerc
Tél. : 05 56 83 05 11.
Bien connue des Arcachonnais dans les années soixante, Yvette a pris sa retraite. Son successeur décline toujours huîtres, fruits de mer, poissons de première fraîcheur. Un classique indémodable.

Cap Pereire
1, avenue du Parc-Péreire
Tél. : 05 56 83 24 01.
Le bon chic balnéaire d'un décor de palmiers, de terrasse donnant sur l'Océan, de grandes baies vitrées et de bois. Aux fourneaux, un chef dont les idées astucieuses étonnent la clientèle locale. La carte séduisante des vins, la meilleure du coin, affiche des prix tout doux. Rien que ça…

Cap-Ferret

Chez Hortense
Avenue du Sémaphore, à la Pointe
Tél. : 05 56 60 62 56.
On ne peut pas connaître le Cap-Ferret si on n'est pas allé au moins une fois pendant l'été se régaler avec les moules d'Hortense, ses huîtres chaudes, ses poissons. L'adresse la plus people reste malgré tout la plus authentique.

Le Bistro du Bassin
5, rue des Pionniers
Tél. : 05 56 03 72 46.
C'est la salle à manger de la *Maison du Bassin*, avec ses murs en voliges, ses peintures de Michel Brosseau, ses fauteuils en châtaignier et son comptoir à pâtisseries à damner l'âme d'un ange. Sa cuisine tout soleil éveille l'appétit et ses saveurs inattendues donnent un esprit nouveau aux produits de la région.

L'Escale
Tél. : 05 56 60 68 17.
Devant le débarcadère de Bélisaire, vous êtes à l'ombre de la pergola, l'œil ébloui par les lumières du Bassin. Au menu triomphent les huîtres et les poissons dans un cadre de restaurant de plage des années soixante.

Sail-Fish
Rue des Bernaches
Tél. : 05 56 60 44 84.
Quand le ravissement d'une terrasse toute blanche et, à l'intérieur d'un décor avec feu de cheminée, s'accorde à une carte gourmande où les accents du monde viennent rallier les accords du terroir… la maison affiche complet chaque soir. Le Tout-Cap-Ferret se croise dans l'ambiance chaleureuse et musicale de la nuit atlantique, autour du bar de nuit.

Claouey

La Marée de Paulo
5, avenue Jane-de-Boy
Tél. : 05 56 60 75 27.
Les commandes se passent sous l'œil de Catherine, la patronne, qui mène le service à belle cadence. Entre kitsch et démodé, le décor importe peu et l'ambiance authentique de ce restaurant « ouvrier » emporte l'adhésion des pompiers dont le centre de formation se trouve non loin. La terrasse en été est très convoitée.

Gujan-Mestras

Bar de la Marine
Port de Larros
Tél. : 05 56 66 40 00.
Un univers si décalé qu'il réjouirait un ethnologue. Place aux gens du pays qui animent le comptoir avec leurs bons mots et leurs souvenirs. Les tables restantes sont offertes au « passage » venu consommer huîtres et plats de petite brasserie.

Les Viviers
Port de Larros
Tél. : 05 56 66 01 04.
Simple et bien placé dans le rituel « huîtres et poissons ». Le plaisir d'un repas sain devant l'animation d'un petit port authentique où tout le monde se connaît.

Le Canon

L'Arkéséon
Village des pêcheurs
Tél. : 05 56 60 80 95.
À la fois restaurant et bar-tabac, tout le village le fréquente depuis des générations. À midi, le petit menu : entrée, plat, fromage, vin et café fait figure de farce tant la note est modeste. La carte suit avec les ris de veau, les Saint-Jacques au porto, la lotte aux cèpes.

L'Herbe

Hôtel de la Plage
Chez Magne, L'Herbe
Tél. : 05 56 60 50 15.
À voir l'établissement en dehors du service – une pimpante maison de village dans une atmosphère années soixante – rien ne révèle l'animation de la terrasse à la saison. Les veinards, qui ont pu réserver, viennent là pour l'ambiance bon enfant qui règne à cet endroit et fait le succès impérissable du lieu.

Bordeaux

Joël D.
13, rue des Piliers-de-Tutelle
Tél. : 05 56 52 68 31.
Sur le chemin du retour, une dernière halte gourmande s'impose à Bordeaux dans ce restaurant d'huîtres uniquement, de toutes variétés, accompagnées de saucisses et de foie gras.

Huîtres

Mettez-vous à la table des ostréiculteurs – une cinquantaine environ – qui proposent une dégustation des huîtres de leurs parcs. L'assiette servie en plein air devant la cabane, comme un pique-nique, est composée de pain de seigle, beurre, citron, vinaigre à l'échalote ou de saucisse selon la mode bordelaise. Encore meilleure accompagnée d'un verre de blanc : côtes-de-blaye, côtes-de-bourg ou entre-deux-mers.

Spécialité

LILLET
Tél. : 05 56 27 41 41.
Créé en 1887, ce vin d'apéritif très frais, à base de liqueur de fruits, épouse l'esprit atlantique, comme un compagnon indispensable des plaisirs du Bassin.

Arcachon

LA CABANE DE L'AIGUILLON
Boulevard Pierre-Loti
Tél. : 05 56 54 88 20.
Au bord de l'eau, tables et bancs en bois à l'ombre de la treille. L'endroit authentique, l'assiette délicieuse sont apprécié de tous.

Cap-Ferret

LA BRISE
Au bout de la rue de la Brise
Tél. : 06 79 67 98 77.
Charme et ambiance assurés à la petite cabane isolée dans l'escourre du jonc, difficile à trouver. On y déguste les huîtres à partir de 18 heures sous la lumière des lampions.

DEGRAVE
8, rue des Pêcheurs
Tél. : 05 56 60 65 42.
Pas de dégustation mais des huîtres à emporter. Parmi les plus fraîches, les plus fines, amoureusement élevées sur les parcs de Cap-Ferret.

Claouey

LA CABANE D'EDOUARD
Cabane 1 et 2 sur le port
Tél. : 05 57 70 30 44.
Devant le port, agréable terrasse bien organisée et service accueillant mené par un tout jeune ostréiculteur motivé. On s'y attarde sans complexe pour la fraîcheur de l'assiette et l'ambiance très plaisante.

Gujan-Mestras

LE ROUTIOUTIOU
Cabane 153 Port de Larros.
Tél. : 06 20 03 46 82.
À la bonne franquette, quand le temps le permet, les tables sont dressées devant le port.

Le Canon

ÉRIC LARRARTÉ
93 bis, rue Sainte-Catherine
Tél. : 05 56 60 97 61.
Terrasse très mignonne, intime, frisant le bord de l'eau.

L'Herbe

RELAX
Chez Jean-Jacques Le Guiel,
91, village de L'Herbe
Tél. : 05 56 60 85 49.
Dans l'un des villages les plus pittoresques du Bassin, des huîtres délicieuses, affinées sur le banc d'Arguin.

Bars et cafés

Le Pyla

LES GOÉLANDS
244, boulevard de l'Océan
Tél. : 05 56 22 73 70.
Sous l'impulsion des dynamiques propriétaires, ce bar musical avec terrasse aux teintes chaleureuses, attire les trentenaires et plus du petit déjeuner aux fins de soirées très « cocktail » où on prend vite de grisantes habitudes. Une nouvelle adresse faite pour durer.

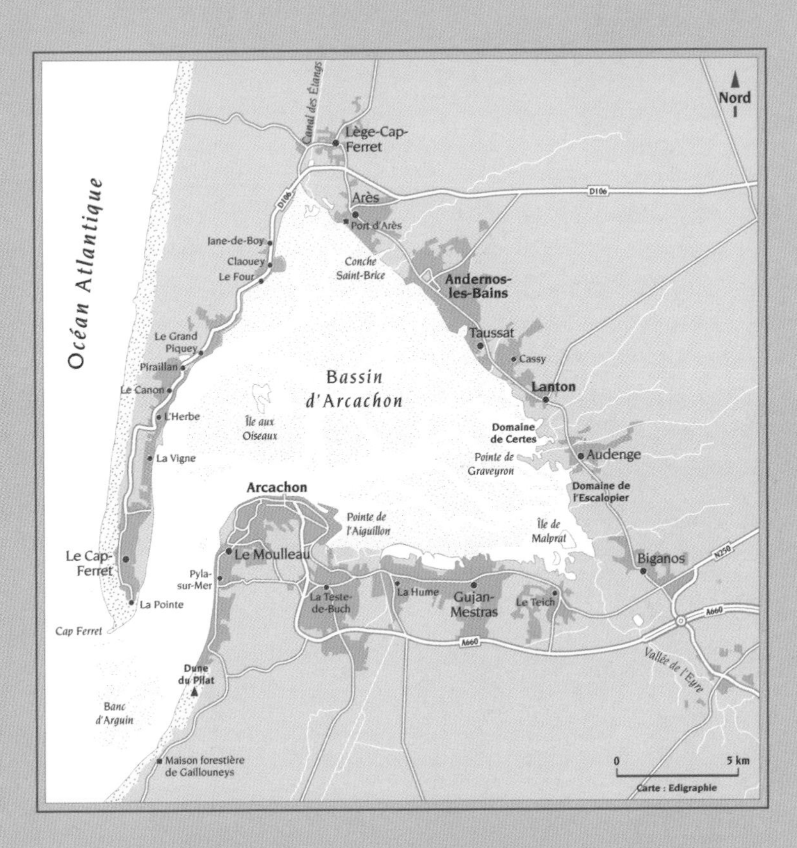

Le Moulleau

CAFÉ PARADISO
6, avenue des Hortensias
Tél. : 05 56 54 04 56.
Ancien cinéma reconverti en bar par Loulou. Joyeuse ambiance club en salle, décontraction chic en terrasse. Le comptoir tout en longueur aligne les *mojito* maison et, dans l'arrière-salon, le terrain de pétanque attire les plus joueurs. Aussi simples que délicieuses, les tapas présentées sur la carte prennent ici la générosité d'un vrai repas.

BAR DE L'OUBLI
234, boulevard de la Côte-d'Argent
Tél. : 05 57 72 00 45.
Du matin au soir, plaque tournante de la vie du Moulleau, on s'y attarde sans complexes, de terrasse en comptoir avec les tapas à l'apéritif et les cocktails maison.

PARIS PLAGE
236, boulevard de la Côte-d'Argent
Partage l'animation du carrefour avec son voisin, cité ci-dessus. Il faut s'asseoir en terrasse pour jouir du spectacle des allées et venues.

Sur les plages

En direction de Biscarosse après avoir dépassé la dune du Pyla, l'Océan déroule ses larges plages. Des guinguettes saisonnières s'installent à l'abri des dunes et des pins. À midi baigneurs et surfeurs s'y côtoient. Le soir, on vient dîner au cœur de la nature de salades composées et de grillades.

Corniche du Pyla
CHEZ PATRICK
Située au pied de l'escalier de la Corniche, la guinguette est au ras de l'eau. Sa carte exotique annonce acras, boudin et salades.

Plage de la Lagune
KARAIBE CAFÉ
Surfeurs, clientèle plutôt jeune.

Plage de la Salie Sud
LA SALIE SUD
Route de Biscarosse
Tél. : 05 56 22 12 49.
Dans le même esprit que l'adresse ci-dessus.

Plage de la Salie Nord
JUNGLE
Tél. : 05 56 22 12 49.
Cabanon de vacances très apprécié pour sa situation.

Le Petit Nice Sud
LE PETIT NICE
Une adresse susurrée de bouche à oreille qui retrouve chaque été ses fidèles.

Livres et photos

Arcachon

LA LIBRAIRIE GÉNÉRALE
49, cours Lamarque
Tél. : 05 56 83 53 32.
Dès la vitrine désuète, une délicieuse atmosphère de bibliothèque. Une mine d'ouvrages sur le Bassin.

Le Moulleau

LES ENFANTS TERRIBLES
273, boulevard de la Côte-d'Argent
Tél. : 05 56 54 53 81.
Depuis 1952, l'adresse la plus chic spécialisée dans le portrait d'enfant en noir et blanc et en plein air, uniquement sur rendez-vous. À laquelle s'ajoute une passion : la collection de plaques de verre. À ce jour, deux mille clichés répertoriés, sur le thème du Bassin. Ce vécu anonyme et sentimental est tiré en reproductions qui décorent la plupart des villas de la côte.

Glaces et pâtisseries

Arcachon

MARQUET
Avenue Gambetta
Tél. : 05 56 83 64 33.
et place Jean-Hameau à La Teste
Tél. : 05 56 66 31 60.
Parmi ses spécialités : le cannelé et le mascaron. Parmi ses créations : la dunette, friandise au chocolat et la troïka, mousse à la noisette.

Cap-Ferret

FRÉDÉLIAN
33, boulevard de la Plage
Tél. : 05 56 60 60 59.
Depuis 1937, une institution. Laissez-vous guider par la mine tentatrice des cannelés excellents. Si vous aimez les gâteaux traditionnels, visez le cône au kirsch, le succès, la polonaise et le train du plaisir… qui mènent direct au paradis des douceurs.

Le Moulleau

LE CORNET D'AMOUR
5, avenue Notre-Dame-des-Passes
Tél. : 05 56 54 52 16.
Chaque jour après la plage, on vient satisfaire sa gourmandise d'une glace artisanale de première qualité.

FOULON
Boulevard de la Côte-d'Argent
Tél. : 05 56 54 57 77.
La célèbre pâtisserie née en 1848 a été reprise par Marquet. Le décor d'origine a disparu, remplacé dans les années soixante par un décor conventionnel qui n'a pas changé. La qualité des gâteaux reste immuable, et la partie salon de thé continue sa restauration à midi avec plat du jour et petite carte.

GUIGNARD
11, avenue Notre-Dame-des-Passes
Tél. : 05 56 54 50 92.
Une vitrine irrésistible de cannelés, de tartes à la fraise, de financiers, de mille-feuilles… Adresse favorite des amateurs pointilleux.

À savourer

Arcachon

POISSONNERIE DE L'AIGUILLON
51, boulevard Mestrezat
Tél. : 05 56 83 70 53.
La bonne adresse de la côte sud.

SOURCE DES ABATILLES
157, boulevard de la Côte-d'Argent
Tél. : 05 56 22 38 50.
Une eau pure aux multiples vertus. Comme dans les villes thermales, on la déguste autour du griffon.

Cap-Ferret

20/20
26, boulevard de la Plage
Tél. : 05 56 60 68 83.
En apparence, un bar et débit de vin qui ressemble à un petit commerce de proximité ; en réalité, trois cents références de vins du Bordelais auxquelles s'ajoutent vieux rhums et whiskys.

BOULAN
Quartier ostréicole
2, rue des Palmiers
Tél. : 05 56 60 67 51.
Un étal impressionnant de la marée du jour joliment présentée.

LUCINE
Résidence la Forestière, boulevard de la Plage
Tél. : 05 56 60 47 07.
Arrivages aléatoires mais toujours superbes de poissons pêchés par les frères Lucine ou sélectionnés à la criée d'Arcachon.

Biganos

Moulin de la Cassadotte
Tél. : 05 56 82 64 42.
Le caviar de la Gironde pour ses œufs d'esturgeon délicieux, présentés en verrine, qui ont acquis au fil des ans leurs lettres de noblesse et la reconnaissance des critiques gastronomiques. Grand domaine où se promener et pêcher.

Jardins

Le Moulleau

JARDINS D'AUJOURD'HUI
57, boulevard de l'Océan
Tél. : 06 85 56 49 26.
Associant les plantes de la région et les espèces méditerranéennes qui s'acclimatent au pays, s'adaptant aux sols et aux vents du Bassin, Michel Boury aménage les plus beaux jardins de la région. Le sien, succession de paysages différents, raconte des histoires et fait dialoguer avec toutes sortes de plantes. On repart, enchanté, après avoir acheté quelques végétaux insolites ou un simple figuier.

Pour la maison

Arcachon

ZIG ET PUCES
250, boulevard de la Côte-d'Argent
Tél. : 05 57 72 01 72.
Brasse du mobilier, des objets et des idées sélectionnés venus d'un peu partout qui, ici, rassemblés, composent une atmosphère originale fleurant bon l'esprit contemporain du Bassin.

Cap-Ferret

DAY. CO
31, boulevard de la Plage
Tél. : 05 56 03 71 38.
L'adresse déco de charme qui, par son choix des matières et des couleurs, a fait ses preuves auprès des Ferret-Capiens et ne désemplit pas.

L'ESPRIT DU CAP
2, rue des Pionniers
Tél. : 05 56 60 67 79.
Dans le genre brocante aux allures de bazar bien rangé, un petit espace au concept atlantique : du mobilier de bateau, des trésors d'idées aménagées avec goût. Objets de caractère, vaisselle, vêtements authentiques, vareuses teintes dans

de jolies couleurs, livres, peintures marines, accastillages anciens.

Le Canon

MARTINE LAMEYRE
Tél. : 06 73 50 13 47.
Ne pas la perdre de vue dans ses déménagements qui la font passer du Canon à Cap-Ferret. Linge de maison, petit mobilier, rideaux faits sur-mesure, vaisselle, chaise longue... ses créations sont placées sous le signe contemporain de l'épure.

Bateaux

Arcachon

YACHT CLUB DU BASSIN D'ARCACHON
1, rue des Pêcheries
Tél. : 05 56 83 22 11.

UBA, UNION DES BATELIERS D'ARCACHON,
76, boulevard de la Plage
Tél. : 05 57 72 28 28.
Traversées du Bassin : Arcachon-Cap Ferret, Arcachon-Andernos et Le Moulleau-Cap-Ferret, horaires selon saison.

La Teste

STÉPHANE NEAUD
Port de La Teste
Tél. : 06 08 16 32 25 ou
stephane.neaud@wanadoo.fr
Location d'anciennes pinasses en bois avec ou sans capitaine. À la journée ou à la semaine. Dernière acquisition, une superbe vedette des années soixante arrivée de la mer du Nord.

Le Teich

Maison de la nature et du bassin d'Arcachon
Tél. : 05 56 22 80 93.
Location de canoë pour la descente de la Leyre et plusieurs autres possibilités.

Petit Piquey

VIDAL MARINE
43 bis, route de Bordeaux
Tél. : 05 56 60 85 42.
La passion des bateaux de tradition et des canots anciens de collection. Survivants d'un passé mythique, ils sont devenus légende dans l'histoire du motonautisme. Exposition, vente et achat.

Visites accompagnées

Arcachon

SYLVIE GUERINEAU
53, avenue de la République
Tél. : 05 56 83 74 67.
Au gré de la forêt landaise et du delta de la Leyre, découverte en toute liberté de la faune et de la flore accompagnée par le regard d'une professionnelle.

Association

Gujan-Mestras

VOILES D'ANTAN
Port du Canal
31 ter, rue du Docteur-Dufourg
Tél. : 05 57 52 40 27.
Dynamique association créée en 1997, elle défend le patrimoine maritime, fait renaître le goût des bateaux traditionnels du Bassin tels que le Loup, le Pacific, édite *Les Cahiers du Bassin*, magazine sur la plaisance et les traditions marines. Ne pas rater, tous les deux ans, les régates.

Chantiers navals

Arcachon

BONNIN FRÈRES
47, boulevard Chanzy
Tél. : 05 56 83 05 14.
Six générations de constructeurs de bateaux : leur nom est assimilé à celui de l'architecte naval Joseph Guédon, dessinateur hors pair qui créa en 1912 le fameux monotype d'Arcachon construit dans le chantier situé à l'époque à Lormont. Leur spécialité : le Pacific et le Vaurien mais aussi des ketchs de 18 m et un yacht de 22 m.

La Teste

BOSSUET
1, rue Alexandrine
Tél. : 05 56 54 82 81.
Créé en 1874, resté dans son jus, le chantier mené de père en fils poursuit son activité de restauration et de construction de petits bateaux typés du Bassin au charme rétro.

Gujan-Mestras

Dubourdieu
Port de Larros
Tél. : 05 56 66 00 55.
Deux siècles d'activité et six générations, le chantier naval Dubourdieu, repris par Emmanuel Martin, est l'un des plus anciens de France. De la mythique pinasse ostréicole détournée pour la plaisance au yacht, toute une gamme de bateaux adaptés au Bassin, en acajou et teck ou en polyester. En constante évolution, le chantier a mis au point les fameux *Classic Express* qui conservent dans une logique haute couture l'esprit intemporel de la pinasse adaptée à une technologie moderne.

La Teste de Buch

RABA
13, rue Camille-Pelletan
Tél. : 05 56 54 65 11.
Expert en restauration de coques anciennes, ce chantier a en charge la remise en état d'un maquereautier, dériveur fait pour la plaisance et construit en 1916, classé à l'inventaire des Monuments historiques.

Promenades

PHARE DU CAP-FERRET
PLace Souchet-Valmont
Pour les horaires, tél. à l'office de tourisme du Cap-Ferret, 12, avenue de l'Océan. Tél. : 05 56 60 63 26.
Reconstruit en 1947, il émerge d'une forêt de pins. Depuis son sommet, la vue panoramique est saisissante.

PARC ORNITHOLOGIQUE DU TEICH
Maison de la nature du bassin d'Arcachon
www.parcs-landes-de-gascogne.fr
Tél. : 05 56 22 80 93 - 05 56 22 80 46.
Territoire protégé pour plus de deux cent soixante oiseaux, dont certaines espèces rares. Sentiers et abris permettent aux visiteurs d'observer les secrets de la vie sauvage, sans gêner la faune ailée.

DOMAINE DE CERTES
Renseignements auprès de l'office de tourisme d'Audenge
24 ter, allée Ernest-de-Boissière
Tél. : 05 56 26 95 97.
En se promenant dans ce lieu protégé, on apprend mille choses sur la faune, la flore et la pisciculture.

LA VILLE D'HIVER D'ARCACHON
Office du tourisme
Esplanade Georges-Pompidou
Tél. : 05 57 52 97 97.
Un parcours de la ville d'hiver en toute liberté à partir d'un petit fascicule explicatif avec plan et nom des maisons. Visite avec guide sur réservation.

Pour tout renseignement

Arcachon

SYNDICAT INTERCOMMUNAL
DU BASSIN D'ARCACHON
16, allées Corrigan
Tél. : 05 57 52 74 74.
Cet organisme édite un *Guide des randonnées pédestres et des pistes cyclables*, clair, pratique et précis, agréablement présenté, avec une carte du Bassin détachable.

Bibliographie

Arcachon, ses quartiers, ses villas, ses hôtes illustres,
d'Eliane Keller, Equinoxe.
Arcachon, la ville d'hiver,
de l'Institut français d'architecture, aux éditions Mardaga.
Bassin d'Arcachon entre dunes et landes,
de Charles Daney et photos de Régine Rosenthal, aux éditions La Renaissance du Livre.
Le Bassin d'Arcachon, mer intérieure,
d'Anne-Marie Garat et photos de Jean-Luc Chapin, Auberon.
Le Bassin d'Arcachon au temps des pinasses, de l'huître et de la résine,
de François et Françoise Cottin aux éditions L'Horizon chimérique.
Bassin d'Arcachon, terres marines,
de Karin Huet et photos de Didier Sorbé aux éditions de Faucompret.
Les Cahiers du Bassin,
édités par Voiles d'Antan.
Le Cap-Ferret,
de Max Baumann, Equinoxe.
La Côte noroît,
de Max Baumann, Equinoxe.
Le Festin (N°12, Maisons en Aquitaine),
magazine trimestriel régional
Les Frères Expert,
de l'Institut français d'architecture aux éditions Mardaga.
Histoire du Bassin d'Arcachon des origines à nos jours,
de Roger Galy, aux éditions Princi Réguer Editor
Pinasses,
d'Alain Danvers et Alain Pujol, aux éditions Mollat.
La Presqu'île Lège Cap-Ferret, villas et personnalités,
de Max Baumann, aux éditions Equinoxe.
Salier, Courtois, Lajus, Sadirac, Fouquet, Bordeaux 1950-1970,
catalogue d'architecture édité par Arc-en-Rêve centre d'architecture
Le Sud Bassin, Arcachon-La Teste-Gujan-Mestras, petite histoire balnéaire,
d'Eliane Keller, Equinoxe.

Index

Cet index ne comprend pas les noms du carnet.

Remerciements

Sans la passion de Ghislaine Bavoillot et de l'équipe éditoriale, ce livre n'aurait pu être réalisé. Nous les remercions tout particulièrement.
Nos remerciements sincères vont à Jacques et Laurence Munvez, à Alain Joly, à Benoît et Zaza Bartherotte, qui nous ont amicalement aidée tout au long de la préparation de cet ouvrage.
Très chaleureusement merci au Laboratorie Central Color, aux personnes qui nous ont encouragés et soutenus par leurs conseils, leur générosité, leur enthousiasme ; à celles qui nous ont accueillis dans leur maison et nous ont fait partager leur amour de la région : Marie Achache, Bertrand et Annie Arquié, Luc et Corinne Arsène-Henry, Christine Auvergnas, Association Voiles d'Antan, Nicolas et Anne Bartherotte, Stéphane et Nathalie Baseden, Bérangère de Beaucoudrey, Anne de Beaumarchais, Jacques Bisseuil, Patrice Blanchet, Marie-Claire Blanckaert, Alain Bonnieu, Bruno Borie, Anne Bosredon, Nano et Cécile Bosredon, Régine de Boussac, Dominique Brenier, Andrée Castaing, Catherine Cazenave, Nathalie Coiquaud, Françoise Cottin, Odette Calvé, Anne Cologne, M. et Mme Corbin, Emmanuelle Dantin, Yvan Darriet, Olivier de la Débutrie, Sébastien et Emmanuelle Degrave, Jacques Delbos, Pierre Diego, Olivier Droin, Laurent Duplantier, Joël Dupuch, Christian Duval, Alban Edouard, Jean-Pierre et Céline Foubet, Catherine Le Henaff, Patrick Hernandez, Florence Hernandez, Daniel Hindenoch, Raphaëlle Hondelatte, Laureen Humbert, William et Nicole Joinau, Jeanne Lacaton et Jean-Philippe Vassal, Pierre Lajus, Philippe Landelle, Jean-Didier et Marie-José Lange, Anne de Lattre, Gregory de Lépinay, Michel Lescaret, Marie-Hélène Ligot-Delis, François et Marie-Christine Lillet, Francis Lombrail, Jeanot-Michel Lhospital, Marie-Stéphane Malbec, Caroline Malbec, Gilles Mallet, Jean-Pierre Marladot, Éric et Martine Marquais, Philippe Marraud, Emmanuel Martin, Rose Mauduit, Christian de Monbrison, Pierre Mondiet, Léa Mohr-Durdez, Laurent Paray, Rachel Passecousset, Geoffroy Pinoncely, Muriel Pontaut, Francine et Janou Roullet, Gérard et Carole de Sainte-Croix, Jean-Luc et Antigone Schilling, Philippe Starck, le Syndicat intercommunal du Bassin d'Arcachon, Guy Terrasson, Alfred Tesseron, Odile et Charles Thomas, Anne de Villèle, M. et Mme Guy Villien de Gabiole, Aymar du Vivier, Alain et Brigitte Watine, et à ceux qui ont souhaité garder l'anonymat.